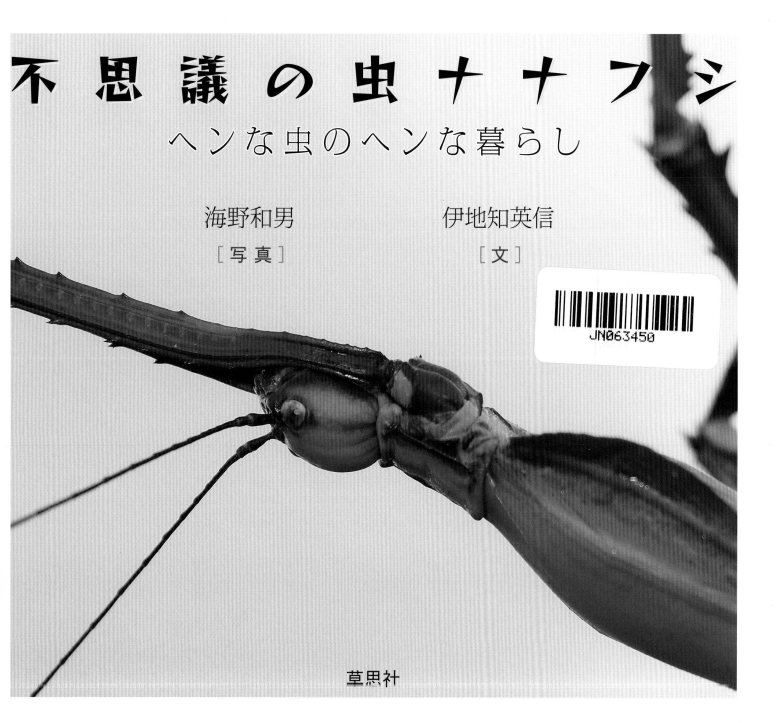

不思議の虫ナナフシ

ヘンな虫のヘンな暮らし

海野和男
［写真］

伊地知英信
［文］

JN063450

草思社

不思議の虫ナナフシ ヘンな虫のヘンな暮らし

もくじ

これもナナフシ!?（89頁）

エダナナフシ *Phraortes elongatus* ／日本（56頁）

はじめに　擬態の王様ナナフシ

昆虫写真家・海野和男

日本はもとより世界中の珍しい虫（珍虫）や姿の変わった虫（奇虫）の生きた姿を撮影してきました。特に枝や葉に似た昆虫の擬態は、長年の私の撮影テーマであり、こんな虫がどうして生まれたのかと、いつも不思議に思います。

ナナフシ目の昆虫は擬態の名手でもあり、長年機会がある度に撮影してきました。ナナフシだけではありませんが、擬態昆虫を、できるだけ多く写真に記録することで、昆虫の進化の歴史をみることができるように思います。

日本でもよく知られているようにナナフシという虫は、木の枝に擬態した昆虫です。まさに驚くべき昆虫ですが、さらに世界に目を移せば、もっとびっくりするようなナナフシが存在します。隠れていても敵が近づき「もう危ない！」という時に突然、派手な色の翅を広げて威嚇してみたり、トゲトゲの腹部を振りまわしてみたり、ポトリと地面に落ちて死んだフリをしたりします。昔マレーシアで大きなナナフシに触ろうとしたら、触る前に脚が取れたのです。これは自切と呼ばれ、幼虫時代に取れた脚は、脱皮の度に再生するという、すごい能力をもっていることも驚きです。日本のナナフシも触ると脚が取れることがあります。

世界最大級のリラタスオオタケナナフシ *Macrophasma lyratus* と筆者／インドネシア・西パプア

ナナフシは平和的な昆虫です。トゲトゲの脚で、叩いてくるサカダチコノハナナフシのようなナナフシもいますが、それは例外で、ただひたすら身を隠して生き延びてきた昆虫です。多くのナナフシは夜行性で、敵の多い昼間はじっとしていたり、地面に降りて落ち葉の下に身を隠したりしています。

ナナフシの本場は熱帯地方です。世界にはさらに面白いナナフシがたくさんいます。本書では、まず日本で観察できる身近なナナフシの仲間を紹介し、それから世界のナナフシをご覧にいれます。

身近な場所でもナナフシモドキやエダナナフシは比較的容易に見つけることができます。隠れているナナフシを探してみませんか。

海野和男　UNNO Kazuo

ビロオオタケナナフシ *Macrophasma hirni* ／パプアニューギニア

ナナフシのコラム その1

ナナフシ？　ナナフシモドキ？

　生き物の呼び名は、仲間全体の呼び方と、個別一種の呼び方のそれぞれがある。サルという種はいないが、サルという言葉は仲間全体を説明するには便利だ。ナナフシはどうだろうか？　ふつうナナフシというと、ナナフシの仲間全体という意味と、ナナフシモドキという一種の両方の意味で使われる。本州から四国、九州にかけて一般的なナナフシモドキは通常ナナフシと呼ばれる。仲間全体もナナフシなのでややこしいが、ツバメと言ったときに種名としてのツバメか、日本ならツバメ、コシアカツバメ、イワツバメなどの仲間全体の話なのか混乱する。鳥に詳しい人たちは会話のうえで種としてのツバメを「ただツバメ」と言う。ナナフシモドキも、種として特定するときは「ただナナフシ」と言われる。

　では、なぜナナフシ「モドキ」なのか。七節とは小枝のこと。それの真似（擬態）をしているから七節＋擬という和名（標準和名）がついた。七は実数の7ではなく、たくさんという意味だ。

　生き物には、世界共通の学名がつけられる。ナナフシモドキの学名は *Ramulus mikado*（Rehn,1904）だ。学名は研究者がその生き物の特徴を、近い仲間と比較しながら「種」として独立した存在であることを証明する記載論文を発表して認められる。学名のあとに書かれているのは Rehn という人が 1904 年にこの学名をつけたという意味。ジェームズ・エイブラム・ガーフィールド・レーン（1881〜1965）はアメリカの昆虫学者。ナナフシを含む直翅系昆虫類の専門家だ。

　学名は二つの名前の組み合わせでできている（二名法）。人間で言えば姓名にあたり、*Ramulus*（ラテン語で「小枝」）が名字にあたる属名で、ナナフシモドキ以外にも同じ属名をもつ種が 170 知

右端の3色の棒が MIKADO。点が高く競技上の特典もある。

られる。*mikado* というのがナナフシモドキの固有の種小名。この名は日本の「帝」に由来する。西洋には mikado というゲームがあり、帝、武士、農民、工人（職人）、商人に色分けされた棒を使って「将棋崩し」のように遊ぶ。もともとは Jonchets と呼ばれ、王侯以下、身分に分かれた棒（単なる棒でなくチェスのように棒の先が凝った形になっている）を使っていた。それが単純化されて mikado になった。レーン博士は棒を使う遊戯 mikado を知っていたのだろう。ちなみに菓子のポッキーはヨーロッパでは mikado という名前で売られている。

6 　●不思議の虫ナナフシ

不思議の虫ナナフシ
第1章◉どこがヘンなのか？

葉を食べるカントリトビナナフシ *Tirachoidea cantori* の雌／マレーシア

ヘンである魅力

　ナナフシがヘンな虫であることを伝えることが本書の目的である。そこにはナナフシを知ることによって昆虫という多様な生き物の全体像、つまり進化のしくみの面白さを知ってもらうという隠れた願いもある。のっけからナナフシには失礼だが、いわば例外（ヘンなナナフシ）を知ることで本道（昆虫全体）を知ってもらいたいという大風呂敷を広げるつもりだ。微生物や線虫類など、ごく小さな生き物を除き、人間の目に止まる大きさで地球上でもっとも多様な存在である昆虫の面白さをナナフシを通じて知っていただきたい。

　われわれ人類を含む脊椎動物とは違い、無脊椎動物、特に外骨格系である昆虫は、世代交代の速度が早く（遺伝子の交換が早いということ）、その結果、種の多様性を実現している。昆虫は微生物（たとえばコロナウイルス）ほどの速度ではないが、長い歳月による進化の篩、いわゆる自然選択によってさまざまな種に姿を変化させてきた。もちろん長いその歴史のなかでは、ほとんどのものが姿を消している（つまり絶滅している）。

　昆虫が多様性をもつという事実は、種は不変ではなく、常に姿を変えているという証拠なのだ。それは生物が子孫を残す遺伝のしくみが明らかにされ、個体発生の楽譜たるゲノムの解析が進んだことも理由である。

　ナナフシの話がいきなり大きな生物進化の話になってしまったが、実はナナフシがその生き証人としても面白い存在なのだ。なぜなら究極にシンプルな体をもつものが種として存在するからだ。そして昆虫の多様性という現象は、人間に「虫屋」という特殊な志向をもつ人種を生成した。そして「擬態」や「擬死」という生物学の「文学」も生み出した。これらについてもナナフシを紹介しながら言及していきたい。ナナフシは、見ても、知っても、飼っても楽しい昆虫である。

　なお、最初にお断りしておくが外国産のナナフシ（生きているもの）は、国内の農業生産の安全を守る法律（植物防疫法）の有害動物に指定されており、国内への輸入が禁止されている。本書で紹介する外国産のナナフシや、それに近縁なコノハムシについても同様だ。

　本書に掲載した外国産のナナフシの写真は、すべて海野和男さんが海外の原産地で撮影したものである。国内では一部の施設で許可を得て合法的に飼育されている個体もあるが、原則として輸入や飼育は禁止されている。

ナナフシモドキ *Ramulus mikado* が前脚を前に伸ばして「ナナフシのポーズ」をとる／日本(46頁)

そもそも虫とは何か？

　最初に言葉の整理をしておきたい。一般に「むし」とは小さな動物のことをさす。これは植物でない、という程度の大雑把な感覚だ。爬虫類も蛙(両棲類)も「むし」である。現代の生物学の5界説などで菌類(キノコ類)は動物だとされるのとも少し感覚が違う。単純に「むし」とは小さな動物の一般的な呼称と考えておきたい。

　では厳密にナナフシが含まれる仲間は何か？　それは昆虫と呼ばれ、脚が6本あることから六脚類(六脚類亜門)としてまとめられる。昆虫が含まれる節足動物という仲間には、6本脚の昆虫類以外に、8本脚のクモ(鋏角類)、10本脚のエビやカニ(十脚目／甲殻類)、82本脚のムカデ(ジムカデ／多足類)などがおり、全体で全動物の85％、110万種が知られる。

　これら節足動物のなかでも昆虫は、種の数が多い。そのため昆虫は多様性に富んでいると言われるのだ。進化の過程で、ある一種から複数の種に分かれた結果、種数が増えたという意味だ。この現象を種分化という。種には個体差があり、そして種はダーウィンが言うように不変ではない。

　昆虫の種数が多いのは、世代交代のサイクルが早く、環境の変化に対する進化の篩(自然選択)にかかりやすいことが、その理由である。

フンコロガシ (鞘翅目・甲虫類)

キアゲハ (鱗翅目・チョウ ガ類)

オニヤンマ (蜻蛉目・トンボ類)

アブラゼミ (半翅目・セミ カメムシ類)

スズメバチ (膜翅目・ハチ類)

ハナアブ (双翅目・ハエ アブ類)

ナナフシは何の仲間？

　昆虫の中でのナナフシの位置づけ、つまり何の仲間かをみてみる。ナナフシは、昆虫類（六脚類）の中で、多新翅類（直翅系昆虫）と呼ばれる仲間だ。かつては直翅目とも呼ばれていた仲間で、翅にある筋（翅脈）が直線状で、扇形に広がるという特徴をもつ。不完全変態といって蛹の時期をもたずに幼虫から若虫、成虫と育つ。多新翅類は、絶滅した仲間を除くと、ガロアムシ目、カカトアルキ目、ハサミムシ目、カワゲラ目、シロアリモドキ目、ジュズヒゲムシ目、ナナフシ目、バッタ目、カマキリ目、ゴキブリ目、シロアリ目の11の仲間が知られている。

　これらの中でナナフシ目は類縁上バッタ目に近い仲間だと考えられている。多新翅類については、ゲノム情報の解析から、共通の祖先から派生した一群の仲間（単系統）であることが明らかにされている（筑波大学2019）。そしてナナフシの化石はすでにジュラ紀の地層から発見されている。

　ナナフシ目はさらに2つの亜目と13科に分かれている（118頁）。たとえば日本でポピュラーなナナフシ（ナナフシモドキ）は、ナナフシ目ナナフシ亜目ナナフシ科に含まれ、この科には全部で140の属と720の種、そして本種が属する*Ramulus*属には170の種が知られる。

トノサマバッタ（直翅目・バッタ類）

ノシメトンボ（蜻蛉目・トンボ類）

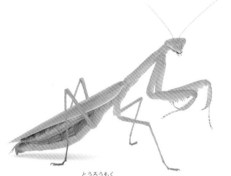

オオカマキリ（蟷螂目・カマキリ類）

クロゴキブリ（ゴキブリ目・ゴキブリ類）

オオハサミムシ（革翅目・ハサミムシ類）

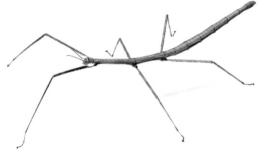

ナナフシモドキ（ナナフシ目・ナナフシ類）

それはどこにいる？

　生き物はおおよそ決まった地域に棲んでる。これを分布（分布域）という。生き物の分布は、その種類（系統）の歴史や気候条件などによって決まる。脱線すれば、それから外れた人為的な分布をもつものが外来生物と呼ばれる。

　ナナフシは、南極と北極をのぞいた世界中（旧北区、新北区、オーストラリア区、エチオピア区、東洋区のすべて）の5000ｍ級の高山からジャングルまで、温暖な気候の地域すべてに分布している。特に熱帯や亜熱帯に多くみられる。それは食物である植物が一年中豊富にあるためだ。分布の北限となるのは、北半球なら春から晩夏に植物が茂る（つまり冬に葉がない）地域で、そこには日本も含まれる。

　右の写真はウンノトゲナナフシ（32頁）が発見された基産地であるマレーシアのキャメロンハイランドのタナラタの熱帯雨林だ。ナナフシは夜行性なので、トゲナナフシは昼間は地面に降りてしまい、なかなか見つけられない。海野和男さんは記載された個体以降、2匹目を写真撮影しようと、夜に懐中電灯で食草とおぼしき葉を照らしてみたら雌が一匹見つかったのだという。日本のトゲナナフシの雄は非常に少ないが、ウンノトゲナナフシは記載された個体そのものが雄だった。

熱帯性の昆虫の宝庫赤道直下のジャングル／マレーシア

最小と最大？

　生き物の最小と最大は、子供の本をはじめギネスブックなどの記録としても取り上げられる話題だ。ナナフシも昆虫界で最大のものと紹介される巨大なものから、小さなものまで、さまざまな種が知られる。

　しかし生き物、特に昆虫の大きさは、同じ種であっても、その個体が育った環境（温度や食物の多い、少ない等）で倍ちかい個体差がみられる。それなので、たまたま見つかった最大や最小が「数字」としてもてはやされる。厳密に統計的な平均となると記録はコロコロと変わってしまうだろう。またナナフシなどは体長（頭の先から腹部末端）か、全長（前脚と後脚を伸ばした状態）かで著しく長さが変わる。その点に注意しながら巷間でよく知られる最大種と最小種を、以下に2種ずつ紹介する。

　チャンオオナナフシ *Phobaeticus chani* 体長357mm（ボルネオ）。前後脚を伸ばすと567mm。さらに中国では前後脚を伸ばすと624mmあるキネンシスオオナナフシ *Phryganistria chinensis* が発見された。

　最小はエクアドルの体長17.5mmというミニマナナフシ *Grylloconia minima* やアメリカの体長11.6mmのティメマナナフシ *Timema cristinae* もよく知られる。

　ナナフシは大きさだけでも、これだけ多様性に富んでいるということがわかる。

世界最大級のビロオオタケナナフシ *Macrophasma hiroi*（パプアニューギニア）

雌だけしかいない？

ナナフシの仲間には雌雄 両 性が揃っている種と、ほぼ雌だけで雄がほとんどいない種とがある。雌雄が存在する種では性的二型（雌雄が別姿）の場合が多い。

いっぽう雌だけしかみられない種は、雄と交尾することがないので、単為生殖（クローン）で繁殖する。ふつうは雌ばかりで単為生殖を行うアブラムシなどは、ときどき雄が出現する世代が現れて、有性生殖（つまり遺伝子を攪拌）するものがいる。

もっぱら単為生殖で子孫を遺す日本のナナフシモドキなどは、本当に不思議な存在である。ごく稀にナナフシモドキの雄が見つかることがあるが、これは卵が高温に晒されて雄のようになった個体であったり、他種との見間違いであることが多い。

千葉県でナナフシモドキの雄が発見されたと博物館展示までされたが、のちに本来本州に分布しないオキナワトガリナナフシであったことが判明し、訂正された事例もある。やはり雄が見つからない種は、雌だけで世代交代を重ねてきたようだ。

そして日本産で雌雄両性が存在する種であっても、分布が北の方になると雄の比率が少なくなる。このような種は、おそらく雌だけで単為生殖をしているものと考えられている。

ナナフシモドキの若虫／日本 (46頁)

飛ぶことをやめた虫？

　ほぼ雌だけで、雄がほとんどいない種や、また翅をもたない種が多いこともナナフシの仲間の特徴である。翅をもつナナフシの仲間でも、前翅は短く退化的で、長いのは後翅である。翅をもつナナフシの仲間でも、雄だけが有翅のものもある。このような種は、雄が空を飛んで広く移動し、翅のない雌がそれを待つものが多い。いわば雌は幼型成熟（ネオテニー）のような存在である。

　もともとナナフシの祖先はすべて翅をもっていた。その子孫の一部に翅をもたないものが出現したのである。これは翅が「いらない」という積極的な理由なのか、それとも別の理由があって翅を発生させる遺伝子がノックアウトされたのかはわからない。しかし進化の篩（自然選択）にかかり、翅がなくても、結果として生き延びているというのが答えなのだろう。

　また天敵を驚かすために派手な色のついた翅を急に広げるという使い方をするナナフシもいる。このナナフシの「威嚇」については、別項（28、80頁）でふたたび触れる。その意味で翅と雄を放棄（?）し、極端にシンプルな生き方をしているナナフシモドキは最高にヘンな虫だ。その進化のアナーキーさを本書を読み終えたときに感じていただけると嬉しい。

翅をたたんだ通常の姿。

後翅を広げて飛翔するアニュリプストビナナフシ *Necroscia annulipes* の雌／マレーシア

ナナフシのコラム その2

なな
7

ナナフシのポーズとゆらゆら歩き

ナナフシの仲間は、体を動かさずにじっとしていることが多い。前脚2本をすっと体の前方に伸ばし、中脚と後脚でものに摑まっている。これが俗に「ナナフシのポーズ」と呼ばれるもの。食べ物である樹木の中でこの姿勢でいるナナフシは、植物の一部と化しているように見える。そのため擬態しているとよく言われる。細い中脚や後脚が見えなければ、その姿は一本の棒である。急所である大切な頭部も前脚に隠されている。

じっとしていることが多いナナフシだが、移動するときはけっこう素早い。長い脚ですいすい歩く。また、ゆっくり歩くときは、風に吹かれた枝のように「ゆらゆら」揺れながら移動する。カマキリも似たように「ゆらゆら」歩く。これも敵からは身を守り、獲物には接近を気づかれないための行動なのだろう。歩き方まで風に揺れる枝の動きに擬態している

ゆらゆら歩きをする（多重露光による写真）。

ということだ。ナナフシもカマキリも鳥などが天敵である。鳥の優れた視力を逆手にとって、ナナフシやカマキリは「ゆらゆら」歩きをしているのかもしれない。ナナフシが一所懸命（？）ゆらゆら歩いている姿を見ると「おまえ、それで隠れているつもり？」と聞いてみたくなる（写真はオキナワトガリナナフシ）。

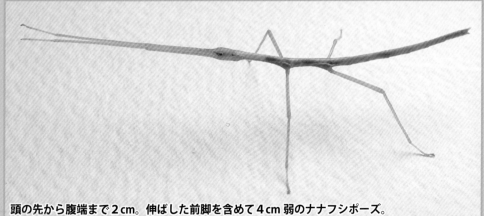
頭の先から腹端まで2cm。伸ばした前脚を含めて4cm弱のナナフシポーズ。

不思議の虫ナナフシ
第2章◉ヘンな体とヘンな暮らし

ヤスマツトビナナフシ *Micadina yasumatsui* の雌／日本（61頁）

ナナフシの体

昆虫の体（体制）は、頭部・胸部・腹部の3つ大別される。さらに頭部は1節、胸部は3節（前胸、中胸、後胸）、腹部（7〜13節、ふつう11節／ナナフシは11節）の体節からなる。頭部にはふつう1対の複眼、1対の触角、口器（顎）がつく。

胸部の3節の腹面には、それぞれ1対ずつの脚が計6本つく。それぞれの脚は5節からなる。また胸部の背面の2節目（中胸）には、ふつう1対の翅（前翅）、3節目（後胸）には1対の翅（後翅）がつく。

ナナフシの脚の先には2本の爪と、そのあいだには大きな吸盤がついていてツルツルのガラス面も登ることができる。

下の写真は日本のエダナナフシが歩いている姿だ。そして右頁は静止状態。前脚を伸ばし、中脚と後脚でものに摑まり、通称「ナナフシのポーズ」をしている。こ

の状態をしていると前脚で頭部を隠した状態になる（19頁下左写真①）。卵から孵化したての幼虫もすぐにこの姿勢をとる。そして面白いことに世界中のナナフシが同じようにナナフシのポーズをとる。

エダナナフシは、ナナフシ（ナナフシモドキ）に似るが触角が長い。ナナフシのポーズをした前脚から少し触角が飛び出していることが区別点になる。

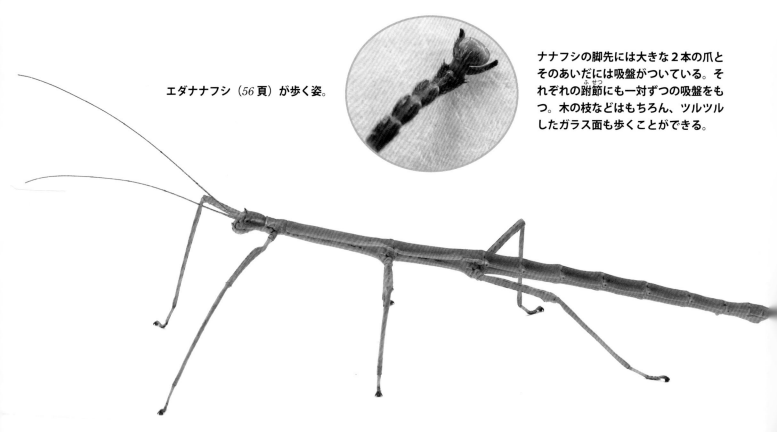

エダナナフシ（56頁）が歩く姿。

ナナフシの脚先には大きな2本の爪とそのあいだには吸盤がついている。それぞれの跗節にも一対ずつの吸盤をもつ。木の枝などはもちろん、ツルツルしたガラス面も歩くことができる。

ナナフシの仲間は、静止状態をすると
きに前脚を伸ばす。前脚の付け根は頭部
の後ろにあるので、脚をまっすぐに伸ば
すために頭部が邪魔になる。ところが、
前脚の一部（腿節）を湾曲させることで、
ナナフシはまっすぐ一本の棒になること
ができる。

エダナナフシが前脚を伸ばし静止している姿。
前脚の前に少し触角が飛び出している。

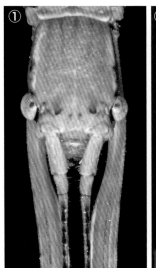

①

②

エダナナフシが前に伸ばした前脚
で大切な頭部を守っている。腹面
（左写真②）を見ると脚（腿節）
が頭部に沿って湾曲しているよう
すがわかる。静止している状態で
も常に目で周囲をうかがっている
（38頁）。

雌雄両性のあるナナフシは、腹
端の交尾器で雌雄を判別できる。
雄は雌を固定するために鋏状の把
握器（右写真②）を備えている。

①

オキナワトガリナナフシの雌。

②

オキナワトガリナナフシの雄

雌と雄

　日本のナナフシは、雄がいない種が多い。雌しかいないナナフシの仲間は、単為生殖（クローン）で子孫を残す。もちろん日本にも、そして世界にも雌雄両性がいるナナフシの種もある。これらの種は有性生殖で繁殖する。

　雌雄が存在するナナフシの種では、雌の体が大きく（多くは翅がない）、雄の体が小さい（雌が翅をもたない場合でも翅をもつことがある）。これを性的二型といい、雌雄で外見が異なるため、交尾をしているところを確認しないとまるで別種のように思ってしまう。

　ナナフシの交尾は、雄が精包と呼ばれる分泌物で作られた鞘に精子を詰め込み、これを雌に受け渡す。雄は腹端にある鋏状になった把握器で雌の腹部末端を固定し、生殖孔から精包を雌の生殖器に送り込むのだ。このような精包を受け渡す交尾法はバッタなどでもみられ、雌は受精するだけでなく、体内で精包の周囲の分泌物を栄養として吸収する。おそらくナナフシでも同じことをしているものと思われる。

　交尾終了後も雄は雌を守るようにへばりついていて、その行動はトンボなどがほかの雄に雌を奪われないよう産卵警護する行動を彷彿とさせる。

交尾をするモデスタムナナフシ *Leiophasma nigrotuberculatum*／マダガスカル

交尾をするトビナナフシの一種 Necroscia sp．雄が把握器で雌を固定し精包（茶色）が送り込まれる瞬間／タイ

カプセルからの脱出

ナナフシの卵は一粒ずつバラバラに産み出される。植物の隙間などに産みつけられるタイワントビナナフシ（66頁）のような例外もあるが、多くのものは、ばら撒くように卵を産む。たとえばナナフシモドキは、夏から寿命を迎える秋にかけて毎日数個ずつ卵を産む。雌が移動すれば卵もあちこちに分散されることになる。

卵の形は植物の種子のようでもあり、硬そうに見える。実際にはそれほど硬くはなく、指で強く摘むと潰してしまうこともある。ユウレイヒレアシナナフシ（89頁）の卵は、アリが種子とでも思うのか自分の巣の中に運び込む。アリの巣内は、ナナフシの卵にとって安全な隠れ家になる。おそらくアリとの関係はほかのナナフシでも似た事例が今後発見されるだろう。

産み落とされた卵は、湿度などから守られたカプセル状の卵の内部では、幼虫になるために胚発生が進む。四季のある地域に棲むナナフシの場合、食物である植物がない冬に孵化しても幼虫は餓死するだけだ。そのため春が到来するまで発生（発育）を中断させて待つ。ただし、卵の中の幼虫がどのようにして春が来たことを知るのか、まだよくわかっていない。

ほかの生き物の例では、春の訪れを一度温度が高くなっただけでは「認めず」に、数回の温度の上昇を「確認」して季節の変化を捉えるという。季節の境目には急に冷え込むことが多い。この確認方法なら確実な春の到来を知ることができるだろう。

ナナフシの卵の構造は、卵の本体と蓋の部分とに分かれている。密閉された卵から幼虫が孵化つまり脱出するときには、この蓋の部分が「パカッ」と開く。幼虫は長い脚と体をこの蓋の開いた口から伸び上がるようにして脱出する。ちなみにナナフシの卵の形状は分類上の重要な目印になる。

①卵の蓋（→）が開き、中から幼虫が伸び上がるように出てくる。

②長い体と長い脚が卵から出てくる。

③

卵から完全に脱出したオキナワトガリナナフシ（48頁）の幼虫／日本・飼育下

誕生して成長する

昆虫の体は、われわれの体のように体の中心に硬い骨があって、それに筋肉や臓器が支えられ、外側が皮膚に覆われるという姿ではない。われわれの皮膚にあたる外皮の部分が、体全体を支える構造になっている。これを外骨格という。

カブトムシなどは見るからに硬い体をしているので理解しやすいが、体の柔らかそうなバッタやナナフシの成虫の体もまた外骨格に覆われている。

昆虫が体を大きくするためには、この外骨格の大きさが制限になる。体の内部が成長とともに大きくなっても、その外側が大きくならなければ体を大きくすることはできない。そのため昆虫の子供（幼虫）が成長して大人（成虫）になるために数回にわたり、小さな外骨格を脱ぎ捨て、大きな外骨格に更新する。これが脱皮と呼ばれる現象だ。昆虫と同じように硬い外骨格に覆われた体をもつ節足動物のカニやエビも同じように脱皮をして成長する。ただしカニやエビは昆虫と違い生涯にわたり脱皮をする。そのため栄養状態によっては脱皮をして体が小さくなることもある。これをマイナス成長という。

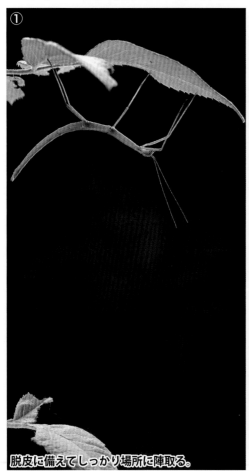

① 脱皮に備えてしっかり場所に陣取る。

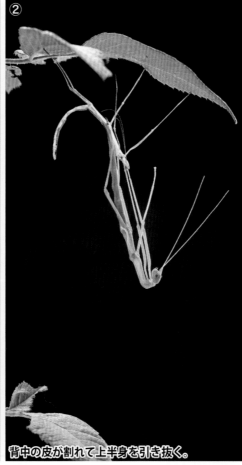

② 背中の皮が割れて上半身を引き抜く。

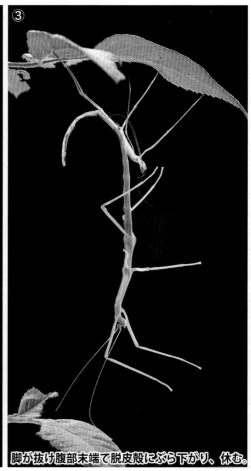

③ 脚が抜け腹部末端で脱皮殻にぶら下がり、休む。

④
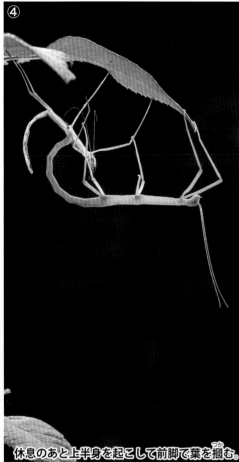
休息のあと上半身を起こして前脚で葉を摑む。

⑤
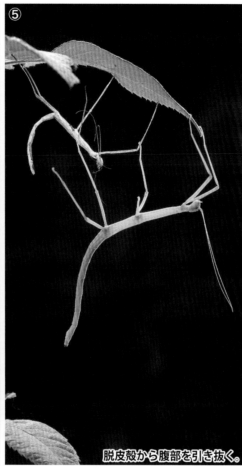
脱皮殻から腹部を引き抜く。

⑥
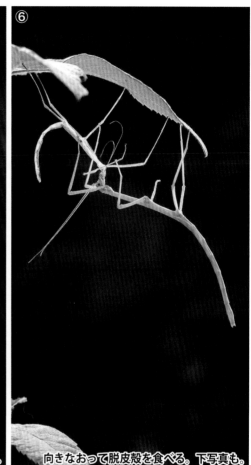
向きなおって脱皮殻を食べる。下写真も。

↓

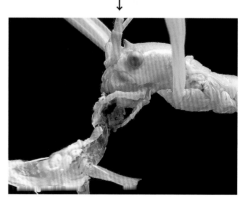

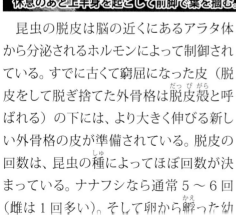

　昆虫の脱皮は脳の近くにあるアラタ体から分泌されるホルモンによって制御されている。すでに古くて窮屈になった皮（脱皮をして脱ぎ捨てた外骨格は脱皮殻と呼ばれる）の下には、より大きく伸びる新しい外骨格の皮が準備されている。脱皮の回数は、昆虫の種によってほぼ回数が決まっている。ナナフシなら通常５〜６回（雌は１回多い）。そして卵から孵った幼

虫を１齢、１回脱皮したものを２齢と呼ぶ。ナナフシなら５齢（６齢）が成虫だということである。有翅の種なら成虫になった段階で翅が生える。

　カブトムシなどは幼虫のときは柔らかい外骨格に覆われているが、成虫になると文字通りの硬い外骨格になる。われわれが認識しているカブトムシは成虫で、つまりこれ以降は「大きくなる」ことはない。

自切と再生

　ナナフシの長い脚は5つの節からでき
ていて、これは一般の昆虫と変わらない。
これら5節には、体の付け根側から、それ
ぞれ基節、転節、腿節、脛節、跗節と名前
がついている。ナナフシの脚の先、つまり
跗節には2本の爪とつるつるの葉の上で
も滑らない吸盤がついている（18頁）。長
い脚の大部分は、腿節と脛節である。

　ナナフシは、この長い脚を自分で切って
しまうことがある。一般的には外敵に襲わ
れたとき、掴まれた脚を切り離して、身を
守るのだとされる。この行動は自分で脚を
切り離すので「自切」と呼ばれる。脚が切れ
る部分の多くは、転節と腿節のあいだだ。
実際に飼育していても、自分で「えいやっ」
と切っているのか、掴まれて引っ張られた
ときに「切れやすい」ところが転節と腿節の
あいだなのか、よくわからない。

　切れた脚は、トカゲのしっぽのように再
生する。しかし再生した脚が伸びるのは脱
皮のときなので、若いとき、つまり脱皮の
回数が多いほど、より完全に再生する。成
虫になってしまうと、もう脱皮はしないの
でその脚は、失われたままになってしまう。
若い頃の無理は修正が利くが、年を経て
からでは難しいということだ。

　脱皮すると自切した脚が少しだけ再生
する（右頁）。

左中脚が失われているエダナナフシ（56頁）。

左中脚は中胸の腹面から生えている。

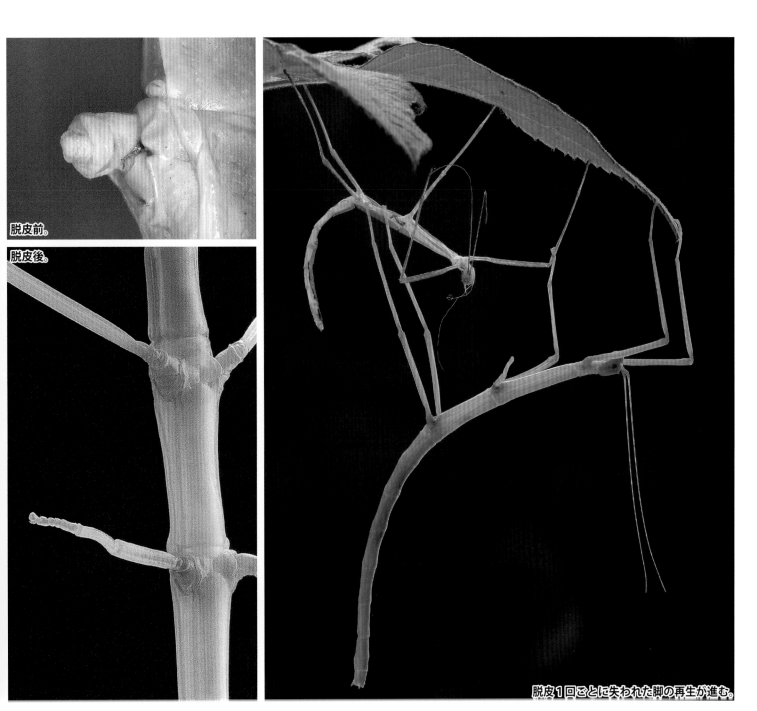

脱皮前。

脱皮後。

脱皮1回ごとに失われた脚の再生が進む。

翅のあるもの無いもの

　昆虫の多くは6本の脚と4枚の翅をもつ。翅のおかげで小さい体であっても、空中を飛び分布を広げることが可能になった。翅を「発明」したことは、昆虫の進化にとって革命的なことだった。また、カブトムシなどのように4枚の翅のうち前の2枚（前翅）を固くして身を守る甲虫の仲間も出現した。原始的なトビムシやシミなどは、翅を「発明」する以前の仲間なので翅をもたない。そのため無翅類と呼ばれる。

　ナナフシの仲間は翅を「発明」した昆虫の子孫である。しかしせっかく「発明」した翅を退化させているものがいる。たとえばナナフシ（ナナフシモドキ）やエダナナフシなどだ。それ以外の日本のナナフシで翅をもつトビナナフシの仲間でも4枚の翅はとても小さいものである。なぜ、翅を「捨てて」しまったのか不思議なことだが、ナナフシなりに、翅を体に備える以上の利点が進化の流れのなかであったのだろう。その理由が解明されることは、これからの生物学の楽しみである。

　いっぽうこの翅に派手な色をつけて、敵に襲われたときにパッと広げ、驚かす目的で使うものが現れた。日本ではトビナナフシの仲間くらいだが、海外には外敵を威嚇する目的に翅を使うものが多い。

中胸に短い前翅、後胸に長い後翅をもつタミリストビナナフシ *Diesbachia tamyris*／マレーシア

ふつう昆虫は中胸と後胸に1対ずつ4枚の翅をもつが、無翅のナナフシは痕跡もない。メダウロイデアナナフシ *Medauroidea* sp. ／ラオス

ナナフシの食べ物

　地球の地上でいちばん多い有機物＝食べ物は、おそらく植物の葉であろう。多くの場合、葉は常に新鮮なものに更新され、しかも一か所に多くの資源が存在する。消化しにくい植物繊維の分解方法さえ獲得できれば、最高の食べ物になる。

　世界中に分布を広げる昆虫も植物（の葉）を食べるものが多く、肉食の昆虫も、植物食の昆虫を食べて子孫を維持している。熱帯のように一年中植物が茂っている環境なら食べ物の心配はいらないが、四季のある地域で、冬のあいだ植物が姿を消す場合もある。たとえば日本の本州に棲むナナフシ（ナナフシモドキ）などは、この食物の植物がない時期を卵の状態でやりすごす。春になり新芽が展開する時期になると卵から幼虫が孵化して活動を始めるのである。

　植物がまったく生えていない高山の森林限界より高い地域や極地にはナナフシの仲間は棲んでいない。しかし植物が生えることのできる地域ならたいていナナフシの仲間は分布している。そして食べ物だけでなく、ナナフシの仲間は、植物の姿を真似る、つまり擬態することで、たとえば鳥などの敵から身を守ることに成功している。ナナフシにとって、植物は食べ物であり、姿を隠す安全な「場所」でもあるのだ。

ナナフシは食物の中で暮らし、食物の中に隠れる。エダナナフシ／日本（56頁）

ナナフシの仲間は葉を咀嚼するために対になった顎（口器）をもつ。エダナナフシ／日本

ナナフシのコラム その3

海野さんの名前がついたナナフシ

コラムその1（6頁）でも書いたように、生き物にはそれぞれ世界共通の名前「学名」がつけられている。学名は属名と種小名の2つの組み合わせでできている（二名法）。いずれもラテン語（あるいはラテン語化されたギリシア語）でつけられる。多くの学名（種小名）は、その生き物の体の特徴、たとえば色や形や分布する地域（地名）などに由来する名前がつけられる。

またその種の発見や、研究に功績があった人の名前が学名につけられることもある。これを献名という（ふつう記載者が自分の名前をつけることはない）。

本書の写真を撮影されている海野和男さんは、世界的な昆虫写真家で、ナナフシの研究者のあいだでも有名である。ナナフシの図鑑や研究論文に海野さんの写真が使われることも多い。そんな功績から、ナナフシの研究者が新種を発表した

ときに、その学名に海野さんの名前をつけた。それが *Neohirasea unnoi* で、和名はウンノトゲナナフシという。マレーシアに分布するナナフシで、本書も分類の参考文献に利用している『STICK AND LEAF-INSECTS OF THE WORLD』の

著者 Paul D.BROCK 博士（大英博物館）によって 1999 年に記載された。

その学名（種小名）には、形容詞化された海野さんの名前 *unnoi* がつけられている。本種ウンノトゲナナフシは、日本のトゲナナフシ（54頁）の近縁種である。

ウンノトゲナナフシ *Neohirasea unnoi* の雌。欄外上の写真は雄／マレーシア

不思議の虫ナナフシ
第3章◉そのミラクルな性質

イサゴラストゲナナフシの一種 *Isagoras* sp. の雌／ペルー

擬態という文学

　ナナフシの天敵は鳥や樹上棲のトカゲやサルである。ナナフシが身を守る相手は、これらの生き物たちで、その多くは視覚にたよって「獲物」を探している。そのためナナフシは自分の姿を自分が棲む環境の背景に合わせて身を守っていると考えられている。これが隠蔽型の擬態である。

　移動するときも、ゆらゆら風に揺られるように動く。また、その卵は植物の種子のように見える。アリの一種には、ナナフシの卵を自分の巣に運び込むものがある（89頁）。ナナフシは、アリの巣の中が安全だと予想しているのだろうか。

　擬態という現象には、モデルがあり、それを真似る擬態者がいて、騙される天敵がいると想定されている。この3者の関係を見て、擬態者が得をし、天敵が損をしていると想像力をはたらかせた人間が、生物学という視点で「擬態」を発見した。しかし完璧な擬態はありえない。

　ナナフシからすると自分のしていることは、あたりまえのことで、ときどき食べられてしまう仲間もいるけれど、特段に変わったことをしているつもりはないのではないか。長い進化の歴史の結果、ナナフシの生き方と姿が決まってきた「だけ」なのだろう。人間からすると不思議な話なのだが。

左写真の脚先。

横になった全身（頭は右）。

左写真の腹端。

棒の姿で枝にぶら下がるインシグネカレエダナナフシ *Baculofractum insigne* ／マレーシア

コケのような姿をしているので、木にとまると背景に溶け込む。モクエリシコケナナフシ *Parectatosoma mocquerysi* ／マダガスカル

擬死を疑う

ナナフシは死を知っているわけではない。フランスの昆虫学者ファーブルは「虫は死を知っているのだろうか?」と疑問をもった。死という概念は人間がもつもので、ふつうの動物、まして昆虫が死という「未来」を知っているとは思えない。その知らない「死」を真似するなんてもっと考えられない。ファーブルはそう考えて、実験を繰り返した。そして「擬死」とされる行動は、実はただ気絶しているだけだと説明する。

タヌキの「狸寝入り」をはじめ、気絶する生き物は多い。その結果、たとえば昆虫ならば、植物から茂みに落下して天敵から「結果的に」身を守れることもあるだろう。結論は同じでも「原理」が違う。タヌキの場合は気絶した結果、路上で車に轢かれて死んでしまう不幸が多い。

「擬態」もそうだが、「擬死」も人間の学問である生物学が「発見」したものだ。生物の進化を目的論で語るのは危ういことである。擬態も擬死も結果として、その生き物が生き延びることに利点があったというだけなのだ。最初から生き延びることを目的にして、生き物が行動や体の形を変えてきたわけではない。

枝から落ちてそのままの姿で静止しているエダナナフシ／日本

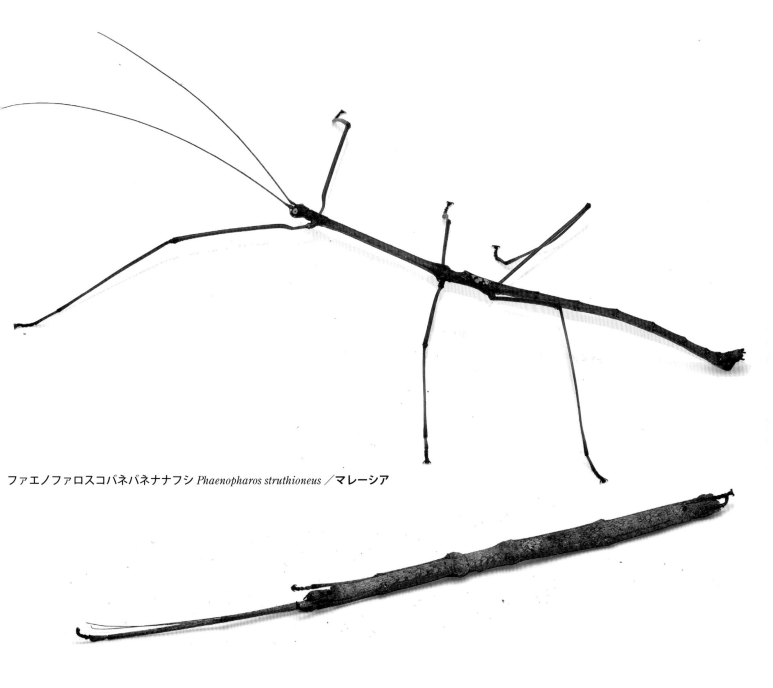

ファエノファロスコバネバネナナフシ *Phaenopharos struthioneus* ／マレーシア

木から落ちると一本の棒のような姿で静止状態になった。

頭を隠す

　頭部は大切なところである。ナナフシなら脚を自切して失っても、生き延びることができれば、脚は再生させることができる。しかし頭部はそうはいかない。ナナフシがじっと身を動かさずに静止しているときは、かならず一本の棒のように前脚を前に伸ばして「ナナフシのポーズ」をとっている。前脚の付け根（腿節）の内側は頭の形に抉れていて、脚を伸ばすと頭部（頬）をぴったりと包み込む。

　前脚は頭部の後ろについているから、ナナフシのこの発明は素晴らしい。姿が異なる世界中の、どのナナフシでも、この前脚の「発明」は利用されている。そのことからも頭部を守る、棒のようになる「ナナフシのポーズ」がいかにナナフシにとって大切なことなのかがわかるのである。

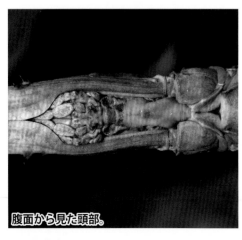

腹面から見た頭部。

カントリトビナナフシ *Tirachoidea cantori* の雌。雄は翅をもつ／マレーシア

カントリトビナナフシ／マレーシア

天敵

　自然下の生き物の寿命を知ることは難しい。季節ごとに消長のある昆虫なら、その最長は、春から秋の期間であることは予想できるが、その途中で天敵に食べられて死ぬ個体を考慮すると平均を出すことは難しい。おそらく100個産みつけられた卵で成虫まで育つのは数匹がよいところだろう。生き残るより多くの生き物が誕生するのは、自然の中ではあたりまえのことで、その「犠牲」が自然全体を支えている。ナナフシは食べられるだけでなく、ダニやハチなどに寄生される。ダニはナナフシの体に取りついて栄養を略奪する。ナナフシヤドリバチAmiseginaeはナナフシの卵に自分の卵を産みつける。寄生を受けたナナフシの卵は、アリが巣に運び、その巣内でナナフシの胚（はい）を食べたハチの幼虫が孵（ふ）化（か）する。ナナフシヤドリバチの雌には翅（はね）のない個体もあり、その姿はアリに似る。石垣島のカブトバチLobosceliinaeは、自分の卵を産みつけたナナフシの卵を、自ら地面に巣穴を掘って収納し、出入り口を塞ぐという狩りバチ同様の繁殖行動をもつ。ナナフシとハチとアリの複雑な関係は今後さらに解明されていくはずだ。

　ナナフシはたくさんの卵を産む。短命であっても多産という「方策」によって子孫をつなぐのであろう。

ダニに寄生されながら「生きる」ナナフシモドキ（46頁）／日本

食べられて生き延びる

　お腹に卵を宿したナナフシモドキが、鳥に食べられて体が消化されても、卵だけは無事であることがわかってきた。鳥が糞をすれば、その場所にナナフシの卵が撒かれる。その卵からはナナフシの幼虫が孵化するということだ。まるで植物の実が鳥に食べられて種子分散（分布の拡大）するような話である。実際にヒヨドリにナナフシモドキを食べさせて、その糞とともに出てきた卵が孵化することを確かめる実験も行われた（神戸大学2018）。

　ナナフシモドキは翅をもたず、ゆっくり徒歩で生活している。しかし鳥の翼を借りて遠くまで子孫を分散させる方法を得た。確かにナナフシの仲間の卵はカプセル状で乾燥や外部からの浸透（消化液や海水）の影響を受けにくい。卵が流木などについて海流で運ばれても、安全な場所に漂着すれば、そこで孵化して分布を広げることができそうだし、実際にそのような分布を示すツダナナフシやタイワントビナナフシなどのような例もある。

　エダナナフシの卵はアリに運ばれて巣内で保護されることがあることもわかってきた。鳥やアリを利用するナナフシたちは、なかなかの「遣り手」の虫である。

タテガミアガマに捕食されたセンストビナナフシ *Tagesoidea nigrofasciata* の雄／マレーシア

ナナフシのコラム その4

なな
7

ナナフシみたいにヘンな虫

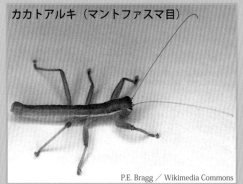

カカトアルキ（マントファスマ目）

P.E. Bragg／Wikimedia Commons

サガ・ペド（直翅目・バッタ類）／フランス

サガ・ペド／フランス

　本書で紹介しているようにナナフシは相当ヘンちくりんな虫である。しかし生き物に標準はなく、多くの場合は例外だらけだ。ナナフシのように、ちょっと変わった虫を紹介する。

　まず紹介したいのがカカトアルキ。2002年にアフリカで発見され、マントファスマ目が新設された。目のレベルの新種として注目を集めた。カマキリとナナフシを合わせたような姿（マントファスマという名もカマキリとナナフシを合わせた新語）で、現在は3科8属15種

が知られている。翅はなく、脚の先を持ち上げて歩く（英名 heel-walker）から名がついた。非常に乾燥した地域に分布し、小型の昆虫を捕食して暮らす。雌雄両性があり、雌はカマキリのような卵（卵鞘）を地中に産みつける。これは地中で固まり内部の卵を乾燥から守る役割をする。長い乾季をやりすごし雨が降り植物が茂り、食物となる小さな昆虫が姿を見せるようになると幼虫が孵化する。

　つづいてご紹介するのはサガ・ペド。ヨーロッパから中国まで分布するバッタ

の仲間。ただし翅はなく、肉食性で雄は発見されていない。つまりナナフシモドキのように単為生殖（クローン）で子孫を残す。前脚には鋭いトゲがならび、食物となる昆虫を捕まえるときに使われる。顔や産卵管（雌しかいないのですべてのサガ・ペドに備わっている）だけ見るとキリギリスなのだが、翅がなく腹部がむき出しで、なんとも不思議な姿をしている。一部がアメリカに帰化したと話題になったこともあるが、その後の発生の記録はないようである。

不思議の虫ナナフシ
第4章◉日本のナナフシ図鑑

ヤスマツトビナナフシ。複眼の模様（筋模様）のほかに、角度によって見え方が変化する偽瞳孔がある／日本（64頁）

北限のナナフシ

　日本に分布するナナフシの先祖は、おそらく台湾や南西諸島が陸続きであった約150万年前（鮮新世末期〜更新世初期）に大陸（現在の揚子江河口あたり）から分布を広げてきたものと考えられる。約80万年前（中期更新世）から後期中新世（約2〜1.5万年前）になると除々に南琉球が台湾から分断されて島嶼化（とうしょか）した。現在も南西諸島と台湾に共通するナナフシが存在することは、この地史的な変化が理由であろう。約2万年前は最終氷期の最盛期で海水面は低く、石垣島と西表島は地続きだった。氷期が収まると海水面は高くなり、現在のような南西諸島の姿になる。南西諸島のナナフシの仲間が類似しつつも、少しずつ変化していることは、このような地史と関係が深いものと想像されている。

　日本列島は東西（南北）に長く、その北側は北海道・北方領土に続く。日本産のナナフシは北海道の東端にまで分布し、世界のほぼ北限のナナフシだと言える。

東京23区内の公園のナナフシモドキ（46頁）。身近ではあるが、なかなか見つけることは難しい。しかし、いないわけではない。それがナナフシ。

ヤスマツトビナナフシ。シラキトビナナフシとともに日本の北限に分布する種。紅葉とナナフシは珍しい写真だ／日本（64頁）

ナナフシモドキ

日本を代表するナナフシ。よく似たエダナナフシも広く日本に分布するが、こちらは触角が長い（18、19頁）。いっぽうナナフシモドキの触角は頭部の長さほどしかない。翅（はね）もない、雄もいない、究極にシンプルな虫だ。卵の形も変わっている。それでもナナフシ一族の卵なので蓋をもち、幼虫はこの蓋を跳ね上げて中から孵化（ふか）する。

飼育は1個体を飼っていれば、累代飼育（るいだい）ができる。春から秋にかけて成虫の姿を楽しんで卵を採集しておく。秋から冬は卵を保存しておいて春の孵化を待つ、という楽しみ方だ。自分の住んでいる地域で親を見つけて、飼育できれば自然に即したサイクルで飼育を楽しむことができる。

たとえがヘンだが釣りには「フナに始まりフナで終わる」（簡単なものでも、最後はやはり奥が深い）という成句があるが、ナナフシモドキにはそのような奥の深さがある。日本の誇る銘昆虫のひとつであり、ペット・インセクトとしても優秀な存在だ。

Ramulus micado（Rehn, 1904）
雌のみが知られる（雄はごく稀）。雌74〜110mm。無翅。暗褐色〜緑色。多食性でフジ、エノキ、カキ、ヤマブキ、ハイビスカス、キイチゴ類、サンゴジュ、バラ、サクラ類などを食べる。本州、四国、九州、対馬、五島列島、久米島、徳之島、朝鮮半島、中国（山西省、湖南省）。

若齢（じゃくれい）の幼虫は、脚（あし）が白黒の縞模様になっている。

ナナフシモドキの卵。右側が蓋。

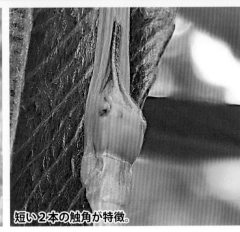

短い2本の触角が特徴。

歩くナナフシモドキ。前脚を触角のように広げて、周囲を探りながら移動する／日本

オキナワトガリナナフシ

　暖地である分布域では年間を通じて、卵、幼虫、若虫、成虫の姿がみられる。

　トガリナナフシ類の学名や和名は非常に混乱しているが本書では *Entoria nuda* Brunner,1907 をオキナワトガリナナフシとして紹介する。本種はオキナワナナフシ *Entoria okinawaensis*（Siraki,1935）、あるいは同学名で和名アマミナナフシと呼ばれたこともある。岡田正哉は、本種オキナワトガリナナフシをアマミナナフシ *Entoria okinawaensis*（Siraki,1935）として以下の5つの型に整理している（1999）。

サツミ型　九州／佐多岬、種子島、屋久島、奄美大島、沖永良部島、沖縄本島／北部、伊良部島、多良間島、徳之島、宮古島。

ケラマ型　沖縄本島南部、渡嘉敷島、座間味島、久米島、粟国島。

ヤエヤマ型　石垣島、西表島、竹富島、波照間島。

ドナン型　与那国島。

ダイトウ型　南大東島。

Entoria nuda Brunner,1907

雌雄 両 性がある。雌 98 〜 149mm、雄 76 〜 113mm。雌雄ともに無翅。暗褐色〜緑色。多食性でキイチゴ類、シダ類、シイ類、カシ類、ハイビスカス、アカメガシワ、サンゴジュ、バラ、サクラ類などを食べる。

オキナワトガリナナフシの雄。多くは茶色い体色をしている／日本

オキナワトガリナナフシの雌。茶色い体色の個体もいる／日本

さらに岡田は、伊豆八丈島、中之島、悪石島に分布するトガリナナフシをハチジョウナナフシ*Entoria* sp.としている。また岡田の〔ドナン型〕をヨナグニトガリナナフシ*Entoria* sp.2 Shiraki,1935、〔ダイトウ型〕をダイトウトガリナナフシ*Entoria* sp.3 Shiraki,1935とする考えもある（*118*頁）。

また本種と同属（*Entoria*）のオオナナフシ*Entoria magna* Shiraki,1911とヤマトナナフシ*Entoria japonica* Shiraki,1911などを種として認める説もある（BROCK 2022）。両種とも昆虫学者素木得一博士による記載種で神奈川県などで採集された標本のみが知られ、その後は未発見である（*70*、

*118*頁）。素木はほかに中国・台湾産のトガリナナフシ属９種を記載している。

本頁のオキナワトガリナナフシは累代飼育された〔ケラマ型〕である。大型で多産、すぐに増えるので飼育崩壊を起こさないよう注意が必要。暖地の昆虫なので冬が寒い地域では暖房が必要になる。

中央が雄／飼育個体

オキナワトガリナナフシの卵。左側が蓋。

オキナワトガリナナフシの１歳幼虫。バラの葉を食べる。個体によって２齢以降に緑色の体色になるものもある（円内）／飼育個体

ツダナナフシ

　日本国内（南西諸島）以外に、台湾にも分布する。かつては台湾の個体群と区別されて南西諸島の個体群はヤエヤマツダナナフシと呼ばれていたこともあるが、現在は同種とされている。

　触角は節が目立ち、前脚の腿節を少し超える長さ。短い前翅と長い後翅があるが飛ぶことはできない。全身が蝋をひいたような怪しげな光沢を放つ。

　突くなど攻撃を受けると前胸の背面にある腺口から臭気をともなう白液を放つ。鳥などの天敵から身を守る防御に利するものと考えられる。

Megacrania tsudai Shiraki,1933

雌のみが知られる（雄は稀）。雄 86mm 、雌 102 〜 119mm。雌雄ともに有翅。光沢のある緑色。アダン、タコノキ、ツルアダンなどを食べる。宮古島、石垣島、西表島、台湾（南部、緑島）。

短い前翅とやや長い後翅をもつが、飛ぶことはできない。

独特のツヤのある体色をしている／日本

トゲナナフシ

　トゲナナフシモドキと呼ばれていたこともある。成虫は地上を徘徊していることが多い。触角は前脚よりも長い。胸部背面にトゲをもつことが和名の由来であるが、触ってもそれほど痛くない。

　外国産のトゲトゲしたナナフシ類に比べると可愛いものであるが、日本産のナナフシとしては唯一の「トゲもの」である。晩夏までに卵を産み、食物である植物のない秋から冬のあいだは卵の状態で越冬する。卵はぼほ球形で、これも変わった姿である。

Neohirasea japonica (de Haan,1842)
雌のみが知られる（雄は稀）。雌 57 〜 75mm。無翅。黄色褐色、黒褐色、稀に緑色。多食性でアザミ類、キイチゴ類、バラ類、シダ類などを食べる。本州（福島以南）、四国、九州、伊豆諸島、淡路島、五島列島、種子島、屋久島、奄美大島、沖永良部島、沖縄島（移入）、台湾北部（移入）、中国（湖南省、江西省）。

左側が蓋部分。

本属は東南アジアに近縁種が多いが、日本では唯一の種／日本

エダナナフシ

トゲナナフシモドキ、ヒゲナガナナフシと呼ばれていたこともある。ナナフシモドキに似るが触角が長いことで区別できる。触角は伸ばした前脚を少し超える。高地や寒冷地では雄がみられない地域もあり、このような場所では単為生殖で繁殖しているらしい。ナナフシモドキと同様、本州、四国、九州に分布し、その姿も似る。食物である植物のない秋から冬のあいだは卵の状態で越冬する。岡田は雄の中脚の腿節に、黒褐色の斑が入るものを〔フアリ型〕、斑が入らないものを〔フナシ型〕と区別している（1999）。後者は愛知県と山口県にみられ、これをフナシエダナナフシ *Phraortes* sp.1 Shiraki.1935とする説もある。

Phraortes elongatus (Thunberg, 1815)

雌雄両性がある。雌82〜112mm、雄65〜82mm。無翅。暗褐色、赤褐色、灰褐色、緑色。多食性でキイチゴ類、サクラ類、コナラ類などを食べる。本州、四国、九州、佐渡島、淡路島、小豆島。日本固有種である。

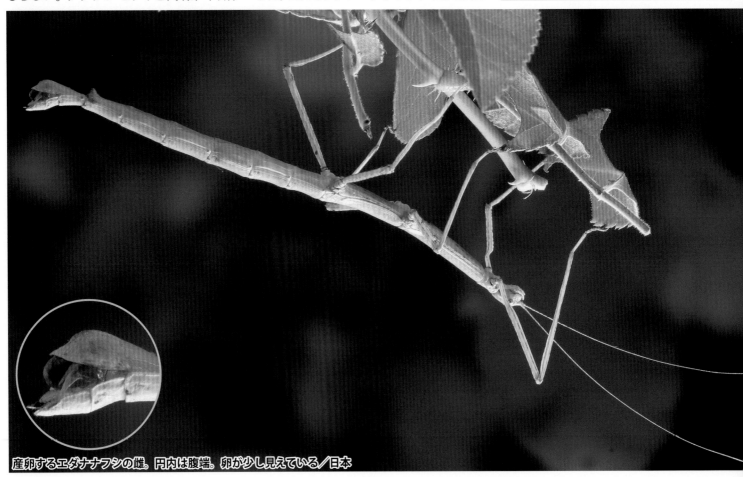

産卵するエダナナフシの雌。円内は腹端。卵が少し見えている／日本

食物でもあるノイバラに隠れるエダナナフシの雄／日本

卵の蓋の部分に鍋の蓋のツマミのような独特な突起がある／日本

幼虫もナナフシのポーズ。触角は前脚より長い／日本

コウヤナナフシ

よく似たエダナナフシよりも全体に小型。雌の頭部（両眼の内側）には一対の短い角が生えている。限られた地域に分布し、和名学名ともに高野山にちなんだ命名になっている。長いあいだエダナナフシと混同されてきたことから、あまりその生態が知られていない。

このほかにも本種が含まれるエダナナフシ属*Phraortes*には、クマモトナナフシ*Phraortes kumamotoensis* Shiraki,1935、ミヤコエダナナフシ（メスホソエダナナフシ）*Phraortes miyakoensis* Shiraki,1935、トカラエダナナフシ（ニセエダナナフシ）*Phraortes* sp.2 Shiraki,1935、アマミエダナナフシ（セオビエダナナフシ）*Phraortes* sp.3 Shiraki,1935、オキナワエダナナフシ（メスツヤエダナナフシ）*Phraortes* sp. 4 Shiraki,1935、クメジマエダナナフシ（メス

Phraortes koyasanensis Shiraki, 1935

雌雄両性がある。雌83〜89mm、雄70〜74mm。無翅。金緑色、赤褐色、灰褐色、緑色。多食性でキイチゴ類、サクラ類、コナラ類などを食べる。本州（和歌山県、奈良県）、四国（徳島県）。日本固有種である。

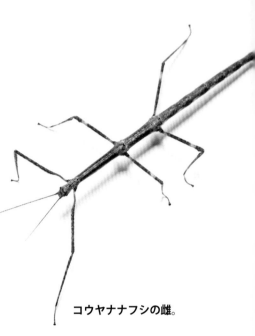

コウヤナナフシの雌。

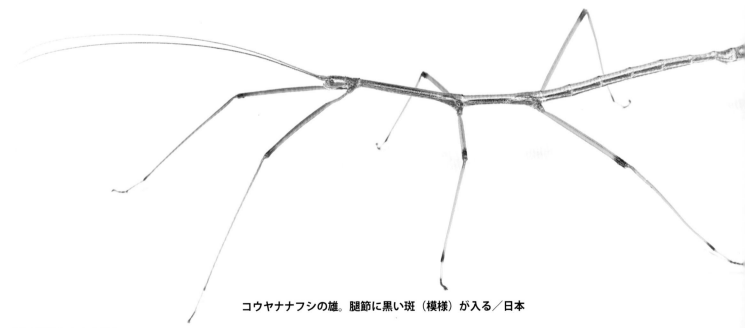

コウヤナナフシの雄。腿節に黒い斑（模様）が入る／日本

スジエダナナフシ）*Phraortes kumensis* Saito,2015、ヤエヤマエダナナフシ（ミナミエダナナフシ）*Phraortes* sp.5 Shiraki,1935、ヨナグニエダナナフシ（メスフトエダナナフシ ）*Phraortes yonaguniensis* Saito,2015、オオガシラエダナナフシ*Phraortes* sp.6 Saito,2015が知られる（*119*頁）。再研究と再整理が望まれる仲間だ（*58*頁の撮影・高橋尚輝）。

四国産のエダナナフシ属の一種（雄）／日本

四国産のエダナナフシ属の一種（雄）／日本

ニホントビナナフシ

　雌は緑色で胸部と腹部腹面は淡い黄緑色、全身が黄色い個体もある。雄は茶褐色で中脚、後脚が緑色をしている。触角は前脚よりも長い。雌雄ともに前翅は短く、後翅が目立つ。後翅の表面は皮質になっていて、続く後ろ側が膜質になっている。

　九州以北など、雄が少ない地域では単為生殖を行う（雄が存在すれば有性生殖）。

　類似するヤスマツトビナナフシやシラキトビナナフシでは雄が見つかっていない。本種とヤスマツトビナナフシの雌は胸部背面の中央に正中線が入らないことで区別できる。

　食物である植物のない秋から冬のあいだは卵の状態で越冬する（撮影・湊 和雄）。

Micadina phluctainoides (Rehn, 1904)
雌雄 両性がある。雌46〜56mm、雄36〜40mm。雌雄ともに有翅。多食性でブナ類（シイなど）、カシ類、コナラ類などを食べる。本州（太平洋側は宮城県・日本海側は石川県以西、群馬県には記録なし）、四国、九州（熊本県には記録なし）淡路島、八丈島、三宅島、御蔵島、新島、神津島、隠岐、五島列島、種子島、屋久島、口永良部島、奄美大島、徳之島、沖永良部島、沖縄本島、伊平屋島、久米島、渡嘉敷島、座間味島、石垣島、朝鮮半島、中国（南部）。

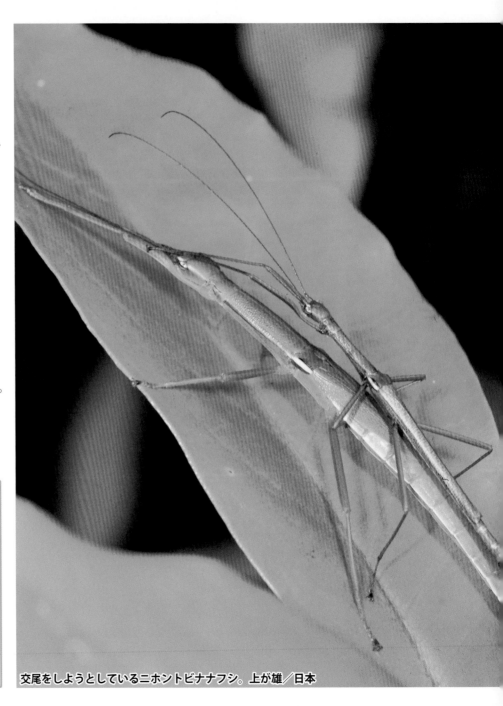

交尾をしようとしているニホントビナナフシ。上が雄／日本

シラキトビナナフシ

　触角は前脚よりも長い。後翅の膜質部はピンク色。胸部背面は緑色で紫褐色の正中線（こうし）が入り、たたんだ後翅まで続く。背面の帯は同属 *Micadina* で類似するニホントビナナフシやヤスマツトビナナフシにはみられないので容易に区別できる。また本種の前脚の腿節（たいせつ）の付け根は黄色い。腿節と脛節（けいせつ）の末端には黒い斑が入る。いっぽう類似するヤスマツトビナナフシでは、腿節の付け根は緑色。そして腿節と脛節の末端には黒い斑が入らない。

　本種の卵は、俵型をしており、表面に細かい網目模様が入る。ヤスマツトビナナフシの卵は、角ばった方形をしており、表面

の模様も荒いことで両者を区別することができる。

　シラキトビナナフシは長いあいだ未記載種（記載は1997年）で、北海道に同所的に分布するヤスマツトビナナフシと混同されてきた。またヤスマツトビナナフシも九州以南の分布と考えられてきた時代が長く、種（しゅ）の混乱に輪をかけてきた。区別点を比較すれば簡単に同定することができる。和名は素木得一（しらきとくいち）博士への献名（けんめい）である。

Micadina conifera　Chen & He, 1997

雌のみが知られる。雌 43〜52mm。有翅。前翅は緑色で後翅はピンク色。多食性でブナ類（ミズナラなど）、コナラ類、クリ類などを食べる。北海道（札幌市、小樽市、函館市、北斗市、松前町、むかわ町、栗山町、鹿部町、森町、七飯町、せたな町、乙部町、福島町、知内町、厚沢部町、江差町、上ノ国町、島牧村）、本州（宮城県、神奈川県は記録なし）、四国（愛媛県）、中国（湖北省、四川省）。

シラキトビナナフシの卵／日本

シラキトビナナフシは本州では高地帯のブナ・ミズナラ林に棲んでいるが、北海道では低地の森林でみられる。

1個体の雌が150〜200個ほどの卵を産む。孵化したての1齢幼虫は15mmほどで全身が明るい黄色をしている。長い触角には黒い縞状の模様が入る。1齢から5齢までは翅がない若虫だが、6齢の成虫になると翅が生える。文字通り羽化である。

この翅を使って飛ぶことができるのか、よく話題になる。本種と同じトビナナフシ属 *Micadina* に含まれるニホントビナナフシやヤスマツトビナナフシにも同様の疑問がもたれる。短い前翅は論外として、後翅にしても自らはばたいて離陸することは難しそうである。木の梢などから落下するときに着地を制御するくらいがせいぜいではないだろうか。ニホントビナナフシには雄が知られ、こちらは体型も細いので飛ぶことができる。これら3種のトビナナフシの雌の後翅はピンク色をしているので、飛ぶ目的よりも威嚇のために使われてるものではないだろうか（65頁）。

ナナフシのポーズで静止するシラキトビナナフシ。前胸背面に線（筋）が入ることで、同所的分布のヤスマツトビナナフシと判別できる／日本

ヤスマツトビナナフシ

　腹部末端に1対ある尾毛が腹部末端よりも長く、飛び出していることが本種の特徴である。同じトビナナフシ属*Micadina*で類似するニホントビナナフシやシラキトビナナフシでは、腹部末端と尾毛の長さはほぼ同じ。

　いずれの種も、後翅の膜質部はピンク色をしている。本種は低地から高地まで分布が広い。

　ヤスマツトビナナフシにつけられた学名*Micadina yasumatsui* Siraki,1935の種小名は、昆虫学者安松京三（1908〜83）への献名である。和名もそれにならい「ヤスマツ」の名がつけられている。また属名*Micadina*の命名者はアメリカの昆虫学者レーン博士で、その由来は「帝」である（6頁）。

　安松は日本の害虫防除の草分けとして知られる。旧制福岡高等学校（のちの九州大学教養部）に学び、ナナフシの成長に関する論文を書いて農学博士号を取得している。

Micadina yasumatsui　Shiraki, 1935

雌のみが知られる。雌42〜54mm。有翅。緑色。多食性でブナ類（シイなど）、カシ類、コナラ類などを食べる。北海道（松前半島以南）、本州、四国、九州、佐渡島、対馬。朝鮮半島、中国（福建省）など。

前胸背面に太い線が入らないことが特徴／日本

後翅は薄いピンク色をしている。人の爪の部分に2本の尻毛が見える／日本

タイワントビナナフシ

　日本の個体群には雄がいないため単為生殖（クローン）で繁殖する。海外には雌雄両性が存在する個体群があり、こちらは有性生殖をしている。

　触角は前脚よりも長い。後翅の膜質部は薄いピンク色。成虫はゴボウのような臭気を放つ。本州などでは春から秋にかけて成虫が出現し、卵の状態で越冬する。暖地では周年を通じて成虫がみられる。

　トビナナフシの名があるが、ニホントビナナフシ、ヤスマツトビナナフシ、シラキトビナナフシの含まれるトビナナフシ属 *Micadina* ではなく、タイワントビナナフシ属 *Sipyloidea* に含まれる。

　卵は、ほかのナナフシのようにばら撒くような産卵法ではなく、卵を植物の隙間などに押し込むようにして産みつける。産みたての卵には粘着性があり、葉の付け根などに固着できる。

Sipyloidea sipylus（Westwood, 1859）

日本では雌のみが知られる。（台湾やマレーシア等では雄が知られる）。雌 71〜82mm。雌雄ともに有翅。雌は赤褐色、灰白褐色、まれに緑色。多食性でキイチゴ類、フジ、ヌルデ、キクなどを食べる。本州（千葉県、神奈川県、静岡県、岐阜県、愛知県、富山県、京都府、大阪府、和歌山県、兵庫県、岡山県、広島県、山口県）、四国、九州、淡路島、壱岐、対馬、種子島、屋久島、奄美大島、徳之島、沖永良部島、与論島、沖縄島、石垣島、西表島、中国、台湾、インド東北部、ミャンマー、タイ、ベトナム、スマトラ、ジャワ、ボルネオ、スラウェシ、オーストラリアなど広域。

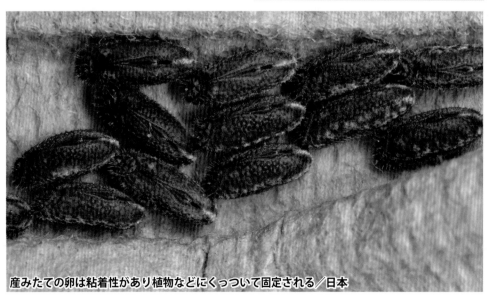

産みたての卵は粘着性があり植物などにくっついて固定される／日本

コブナナフシ

　雌雄ともに頭部にコブをもつ。暖地である分布域では周年を通じて卵、幼虫、若虫、成虫の姿がみられ、3〜5年生きる個体もある。触角は前脚よりも短い。

　日本産のほかの多くのナナフシの仲間はナナフシ科Phasmatidaeか、トゲナナフシ科Loncodidaeに含まれるが、コブナナフシはフトナナフシ科Hetrobacillidaeという別の科に含まれる。

　また日本分類学会連合では、本種コブナナフシをフトナナフシ科ではなくコノハムシ科Phyllidaeに分類している。このような分類上の帰属の問題は、コブナナフシが日本産のナナフシとしては、変わった存在であることを示している。この仲間の多くは、中国、インドネシア、ベトナム、シンガポールなどに棲んでいる。

マレー半島に棲むサカダチコノハナナフシ（72頁）の若虫。コブナナフシと同じ科なので姿も似ている。

Orestes japonicus（Ho,2016）

雌雄両性がある。雌45〜51mm、雄37〜42mm。雌雄ともに無翅。白褐色、褐色、黒褐色。多食性でカラムシ、ヤマゴボウ、キイチゴ類、ガジュマル、シダ類、ブナ、サンゴジュなどを食べる。九州（鹿児島県大隅半島）、屋久島、種子島、口永良部島、中之島、悪石島、宝島、奄美大島、徳之島、加計呂麻島、与路島、沖永良部島、与論島、沖縄本島、平安座島、伊計島、伊平屋島、津堅島、渡嘉敷島、粟国島、久米島、宮古島、伊良部島、下地島、来間島、多良間島、石垣島、竹富島、西表島、与那国島。日本固有種である。

コブナナフシの卵。

白っぽい雌の上（写真では下側）に雄がのって交尾している。ちなみに左が頭部方向／日本

ナナフシのコラム その5

なな7

日本にナナフシは何種いるのか？

日本にはナナフシが何種いるのか？答えは簡単なようで難しい。それはトガリナナフシ属（*Entoria*）とエダナナフシ属（*Phraortes*）の数が明確でないためだ。記載論文と標本だけ存在し、その後は未発見であったり、未記載種（種として未登録）が存在し、種数の判断が難しいためだ。これらには素木得一博士（1882～1970）が1931年から数年にわたり記載した種も含まれる。素木は当時、清朝（中国）から割譲された台湾で昆虫学者として活躍した昆虫学者だ。

北海道函館生まれの素木は、札幌農学校（現北海道大学農学部）に入学。昆虫学の泰斗松村松年に師事する。首席で卒業すると同校の助教授に就任。翌年1907年に台湾の総督府農事試験場に昆虫部長として赴任。1928年に台北帝国大学が設立されると理農学部の教授に就

任、さらに総督府中央研究所応用動物科長を兼任。1947年に日本に帰国する。

この間、素木は1923年から3年間、ロンドン大英博物館に留学。このときに日本、東南アジア～オーストラリアの標本を大量に持ち出したとされる。現在も台湾省農業試験場に収蔵されているこれら「素木標本」は、すべてラベルが台湾産に付け替えられ、後の日本や台湾の昆虫分類（特に甲虫類）の混乱をまねいた。

学名の後に Siraki,1931,1933,1935 と記された台湾産ナナフシがある。当時、台湾は「日本」に割譲されていたので、これらは「日本産」ナナフシだった。またオオナナフシやヤマトナナフシなどは標本でしか残されていない種もある。正確に整理しきれたか不安だが *118* 頁に学名リストを掲載した。日本直翅類学会編『日本産直翅類標準図鑑』(2016)で

昭和7年に発行された松村松年監修、平山修次郎著の『原色千種昆蟲圖譜』。1017種の昆虫がカラーで掲載されている。平山（1887～1954）は、版元の三省堂で昆虫採集用品や標本を販売していた。後に独立して井の頭公園近くに「平山博物館」（平山昆虫博物館）を開館。ここでは後に志賀昆虫普及社を起こす志賀卯助が働いていた。

『原色千種昆蟲圖譜』は昭和19年、おそらく46刷まで版を重ね、日本に昆虫少年を量産した。ナナフシ科の頁は、エダナナフシ（ヒゲナガナナフシ）井の頭産、コノハムシ（セイロン産）、コブナナフシ（石垣産）、トビナナフシ（井の頭産）が掲載されている。

は4科31種。日本分類学会のリストではナナフシ目は19種。ブロック博士の『STIK AND LEAF-INSECTS OF THE WORLD』では18種。HP「ナナフシの森」29種（不明種含む）となっている。

不思議の虫ナナフシ
第5章◉世界のナナフシは例外だらけ

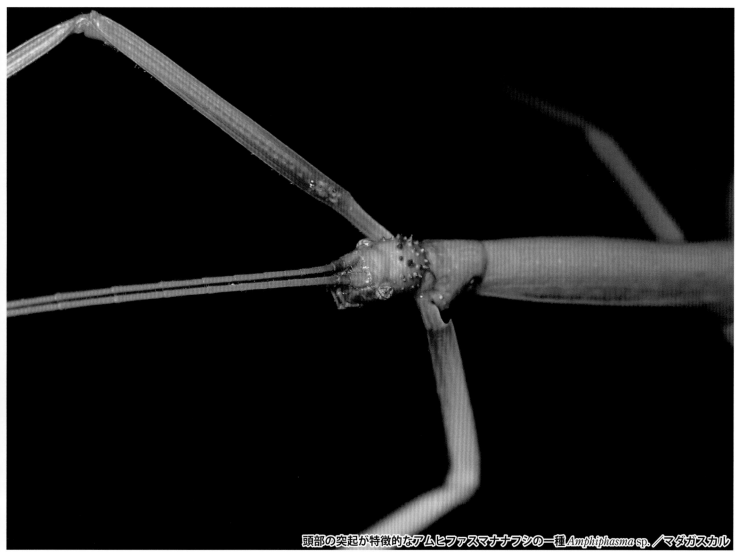

頭部の突起が特徴的なアムヒファスマナナフシの一種*Amphiphasma* sp.／マダガスカル

擬態から武装へ

　隠れていても、いざとなったら反撃をする。それがマレー半島に棲むサカダチコノハナナフシ *Heteropteryx dilatata* の選んだ生き方だ。地元マレーシアではディラタタと呼ばれ、保護種にも指定されている。

　雌の背に生える小さな翅（はね）の形のため、コノハムシのようにも見える。飛ぶことはできない。本種はフトナナフシ科に含まれ日本にも分布するコブナナフシと同じ科に含まれるということになる。もっとも重い昆虫として紹介されることもあり、その体重は100gを超える。

　ふだんはゆっくり動きまわり、植物の物陰などに潜んでいるが、攻撃を受けると名前どおり逆立ちをしてトゲの生えた腹部を垂直に立て、後脚を大きく広げる。このときに体節を擦り合わせてギチギチと音を発し、噴気音まで出して威嚇（いかく）する。さらに摑（つか）もうとするとこのトゲのついた長い後脚でがっちり抱え込もうとする。人の手でもかなり痛く感じるので反撃としては有効だろう。不意にしがみつかれること自体、相手を驚かせるのに充分である。

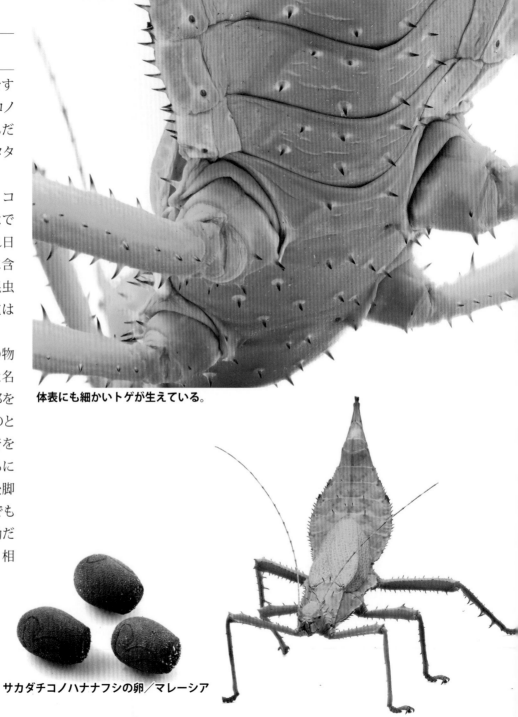

体表にも細かいトゲが生えている。

サカダチコノハナナフシの卵／マレーシア

突くなど、攻撃を受けると「逆立ち」をしてトゲを誇示する／マレーシア

体色は緑色から茶褐色まで個体差がある／マレーシア

　◉不思議の虫ナナフシ

雄は雌よりも細身。写真は珍しい雌雄モザイク型。怒らせるとやはり逆立ちしたり、脚を広げたりして威嚇する／マレーシア

太長く、トゲで武装

　ニューギニアに棲むゴライアスオオトビナナフシ *Eurycnema goliath* は攻撃を受けるとトゲのついた脚を大きく広げたり、腹部を反り返らせたりして相手を威嚇（かく）する。翅（はね）の膜面は濃いピンク色をしていて、急に広げて見せつけられれば、捕食しようとしていた鳥などはビックリすることだろう。

　雌雄があり両性生殖（しゆう）をして繁殖する。今回紹介しているのはすべて雌の写真である。雄はもっと細長く、一般的なナナフシのように「棒状」である。

　ゴライアスとは旧約聖書に出てくる巨人兵士ゴリアテのことで、ヘブライ語を英語読みするとゴライアスとなる。ゴライアスオオトビナナフシという和名は、大きいという意味がふたつ重なったものになってしまった。

　やはりニューギニアに棲むトゲアシフトナナフシ *Eurycantha calcurata* は全身がトゲで武装された大型のナナフシである（右頁）。その、いかつい姿から現地では「陸のザリガニ」と呼ばれているという。長年絶滅してしまったと思われていて、その再発見が一部のナナフシマニアに話題になったロードハウナナフシ *Dryococelus australis* の近縁種である。

ゴライアスオオトビナナフシ。名の通り有翅／ニューギニア

トゲアシフトナナフシ *Eurycantha calcurata*。怒らせると腹部を反り返らせたり、脚を広げたりして威嚇する／ニューギニア

細く、長くなった虫

　マレー半島に棲むセラティペスオオト
ビナナフシ *Phobaeticus serratipes* は、脚
を伸ばした長さが550mmという長大
なナナフシだ。熱帯のジャングルを歩く
と、枝が突然動き出してビックリしたな
どと書きたいが実際にはそうたやすく見
つからない。隠れるのが上手だからだ。

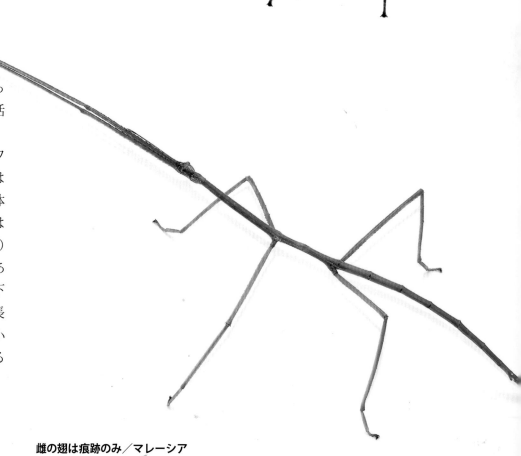

雄には翅がある／マレーシア

　ナナフシの仲間は昼間は木にとまっ
てじっとしているものが多く、夜に活
動する。

　このセラティペスオオトビナナフ
シはトビナナフシの仲間だが、雌は
痕跡程度の翅しかない。雌の最大体
長（頭部先端から腹部末端まで）は
330mm、脚まで含めた長さ（全長）
は先にも述べたように550mmもあ
る。右頁の写真で大きなナナフシの下
にくっついているのは雄だ。雄も体長
150mmぐらいあるから、けっして小
さいわけではないが、雌雄を比較する
と雄はずいぶん貧弱に見える。

雌の翅は痕跡のみ／マレーシア

交尾をするセラティペスオオトビナナフシ。写真上が雌／マレーシア

不意をついて驚かす

マレー半島に棲むタミリストビナナフシ *Diesbachia tamyris* は、後翅が赤いためにシタベニトビナナフシと呼ばれていたこともある。雌雄両性があり、雌の方がひとまわり大きい。雌雄ともに立派な翅をもっている。ふだんは地味な細身の体を木の枝などのあいだに潜めてじっとしているが、突くなど攻撃を受けると、赤と黒の後翅をぱっと開いて、足早に動きまわる。そして敵がいなくなると、さっと翅を閉じて、また木の枝などに隠れてじっと静止する。基本的には見つからずに敵をやりすごしたいという風情だ。それでも、よく見ると胸部の背面や腹面には小さなトゲが生えていて、威嚇だけでなく防衛もしているようだ。

大きな赤い後翅に隠れて見えにくいが小さな前翅もある／マレーシア

このままでは枝の一部と見間違える／マレーシア

翅を広げるときは、一瞬でぱっと全体を誇示する。まさにフラッシュ効果である／マレーシア

飛ぶのでなく驚かす翅

　マレー半島に棲むセンストビナナフシ *Tagesoidea nigrofasciata* は、雌雄 両性があり、ともに立派な後翅を備えている。雄はこの翅を使って飛ぶことができるが、雌の翅はもっぱら威嚇用である。黄色に黒い筋が入る翅はとてもよく目立つ。学名（種 小 名）の *nigrofasciata* は、この後翅の模様「黒い筋」にちなんだもの。ジャングルなどで急に目立つ模様が現れると、それを見るものは驚く。

　トビナナフシの仲間は、ナナフシであるので忍者のように「潜む」ことが得意な昆虫ではあるが、それがいったん事があると翅を広げて威嚇に転ずる。さらに威嚇のしっぱなしでは効果が薄れることを知っているのか、適当なタイミングでサッと翅を閉じて、姿を眩ませる戦術に切り替える。

　マレー半島に棲むウィルビウストビナナフシ *Calvisia virbius* は、威嚇のために翅を広げても、すぐに閉じてしまうので、写真を撮るために可哀想だが頭を抑え込まれてしまった。腹部背面の色も赤と黒の縞模様と毒々しく、威嚇するのに効果がありそうな配色である。

センストビナナフシの雌／マレーシア

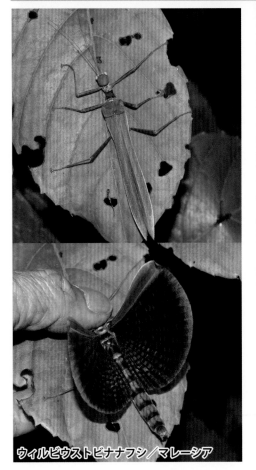

ウィルビウストビナナフシ／マレーシア

センストビナナフシの雄。雌よりは細身だ。

センストビナナフシの雌。後翅全体を一瞬で広げる／マレーシア

小翅の効果は如何に？

　この小さな翅(はね)の意味は人間には説明ができない。ナナフシが大きく派手な色をした翅を急に広げれば、それを見た鳥やトカゲなどの捕食者は驚いて静止状態になるだろう。その隙にナナフシはこっそり逃げ出す。

　しかしマレー半島に棲むファエノファロスコバネバネナナフシ*Phaenopharos stuthioneus*のこの小さな赤い翅に、威嚇(いかく)の効果はあるのだろうか。ジャングルの中など薄暗いところでは、これだけ小さな翅でも「パッ」と広げれば相手は驚くのだろうか。

　それとも頭部から離れたところで広げられた翅に天敵の視線を集め、大切な頭部を守るという作戦なのか。擬態(ぎたい)をして身を潜め、いざとなったら威嚇して身を守るという「擬態」と「威嚇」が、この小さな翅を広げる行動からどう説明づけられるのか。

　その意味で謎解きの楽しみな生き証人だ。なぜなら事実として、ファエノファロスコバネバネナナフシは今も「生き延びて」いるからである。

このままでは枝や蔓(つる)と見分けがつかない／マレーシア

雌はひとまわり大きい。

雄も小さな翅をもつ。

後胸背面に小さな翅がある。

誰のために、何の効果があるのか不思議な小さな翅。もちろん飛ぶことはできない。

反り返って威嚇する

　じっと身を潜めていても、攻撃されたり、身の危険を感じたりすると、威嚇というかたちで反撃を行う生き物がいる。それは、昆虫だけでなく、魚類、両生類、爬虫類、鳥類などで広くみられる行動だ。

　昆虫で多いのは、翅を広げたり、体の一部たとえば腹部を反り返らせたりして相手を脅す。体を大きく見せたり、地味な色の中に急に派手な色を現してフラッシュ効果というか、目眩ましをする。

　そもそもナナフシ目を指すラテン語Phasmidaは、ギリシア語に由来する言葉で、それには「思いがけなく現れるもの」という意味がある。

　ナナフシの威嚇がどれほどの効果があるのかはわからないが、とにかく怒っているという雰囲気を敵に見せつけるだけで、一定の防御効果があるのだろう。

樹皮に生えるコケとそっくりの体色をしたミドリカタビロナナフシ *Plantago* sp. ／コスタリカ

驚かすと長い腹部を反り返らせて威嚇する／コスタリカ

翅を広げる

大型昆虫として有名なニューギニアオオトビナナフシ*Phasma gigas*は、名に「ニューギニア」とついているが厳密にはニューギニア本島には分布していない。長年、同属の別種レイノワルディティオオトビナナフシ*Phasma reinwardtii*と混同されていたのである。こちらの種はニューギニア本島に分布する。

ニューギニアオオトビナナフシの本来の分布は、ニューギニア本島の西東にあるマルク諸島、ゴロン諸島、ケイ諸島である。雌雄両性があり、雌の体長は190〜250mm、雄の体長は130〜170mmある。大型の雌の腹部の直径は10mmを超え、広げた翅の幅は200mmになる（掲載した右の写真より実物の方が大きい）。

いわゆる昆虫愛好家「虫屋」のあいだでは、世界的に本種の標本が流通していた。本来、蝶や甲虫を集めているコレクターからするとナナフシなどは「雑虫」と言われ、興味がもたれることはない。それでも、これだけ大きく派手な虫であるとコレクターも食指を動かす。ニューギニアオオトビナナフシは、珍奇趣味、驚異の部屋に収まる代表的な存在なのだ。

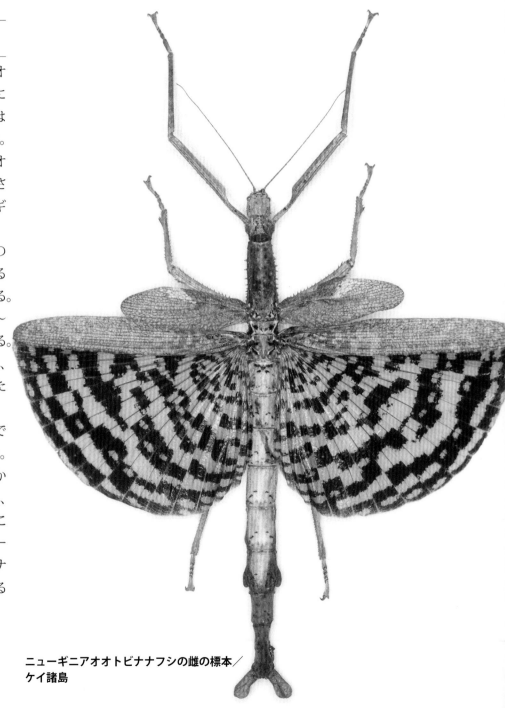

ニューギニアオオトビナナフシの雌の標本／ケイ諸島

幽霊のように珍しい

　ニューギニアに分布するポパユウレイヒレアシナナフシ *Extatosoma popa* は、エクタトソーマ科 Extatosoma に属し、この科は *Extatosoma* 1属2種のみが知られる。雌雄両性があるが雌だけでも単為生殖ができる。体長は150mm。脚にはトゲが生え、しがみつかれると痛い。歩き方はゆっくりで、枯れ葉が揺れているように見える。卵は植物の種子のような形をしていて、蓋の突起部分をアギトアリが咥えて巣に持ち込む。卵は半年後に巣内で孵化、1齢幼虫の体色はアリのように黒く、姿も親のようにヒレやトゲはなく、アリそっくりに見える。オーストラリア北部の熱帯雨林にはエクタトソーマ科のもう一種ティアラタムユウレイヒレアシナナフシ *Extatosoma tiaratum* が知られる。

もう1種のティアラタムユウレイヒレアシナナフシ／オーストラリア

若虫

卵

**腹部を持ち上げ「サソリのポーズ」で威嚇する
ポパユウレイナナフシ／ニューギニア**

頭の飾り 何のため？

ナナフシの多くは専守防衛で、まず敵から見つからないように植物の陰に隠れている。ピンチになると派手な色の翅で威嚇するものもあるが、あとはせいぜいトゲで体を覆って身を守る程度だ。

ナナフシが静止しているときは、前脚を前方に伸ばして、植物などに紛れている。

この伸ばした前脚は大切な頭部を挟んで守る構造になっている。面白いのは、眼では常にあたりを警戒していることだ。体のあらゆるところを削ぎ落としているナナフシだが視力は良い。その頭部には、トゲや耳のような突起をもつものが多い。頭部を守っているのだろうか。

もちろん耳ではないが、不思議な突起だ。

ネマトーダナナフシ *Ramulus nematodes* の若虫／マレーシア

シンプルな体に不思議な突起。

驚かれて未消化物を吐き戻すエダナナフシ。角だけでなく『苦い味』を使って敵から大切な頭部を守ることもある。

ネマトーダナナフシの雌／ボルネオ

過剰なトゲは必要？

トゲは視覚的にまず危険な印象を与える。ナナフシを食べようとしてた鳥や爬虫類にもそう見えるだろう。実際に口に咥えてもその敏感な舌がトゲトゲした違和感を感じて「ペッ」と吐き出すかもしれない。

そのいっぽうで、トゲトゲした体のシルエットは自然の中で輪郭を消して、背景に溶け込む役割をしているかもしれない。つまり隠蔽である。もともとナナフシはじっと身を隠すことを一族の家訓として生きてきた。ただ、その方法がより「一本の棒」を目指す連中と、体に不思議なトゲトゲをもつ連中とに大別されていることが面白い。

進化の方向に正解はなく、結果として生き残っているものが「勝者」である。ナナフシの一族は基本的に隠れることを家訓としながら、その方法を多様な姿で探っている。これも進化の妙である。

トゲを身にまとい、食物でもある植物のあいだをゆっくり歩いているナナフシの仲間は、やはりヘンな虫である。

夜になって葉の上に出てきたヘロティスナナフシ *Diesbachia hellotis* ／ボルネオ

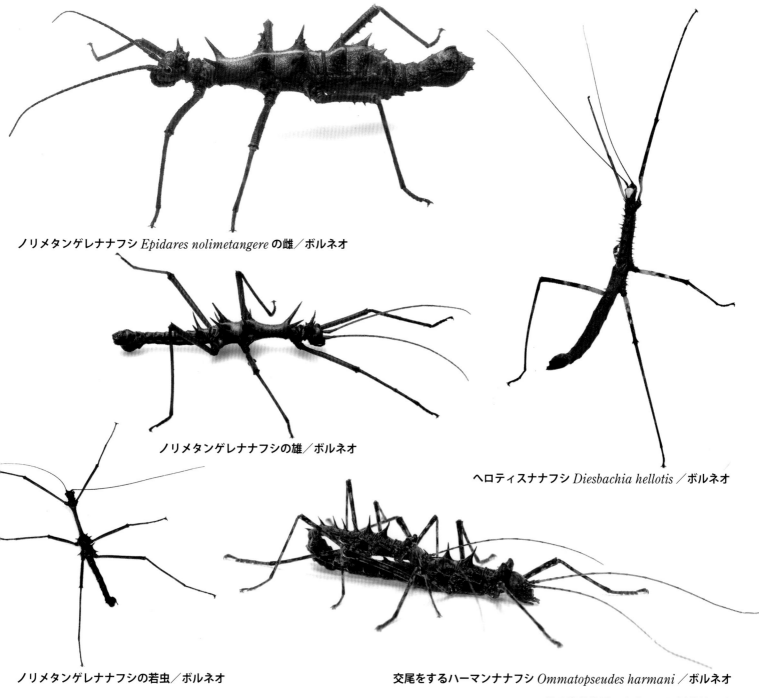

ノリメタンゲレナナフシ *Epidares nolimetangere* の雌／ボルネオ

ノリメタンゲレナナフシの雄／ボルネオ

ヘロティスナナフシ *Diesbachia hellotis* ／ボルネオ

ノリメタンゲレナナフシの若虫／ボルネオ

交尾をするハーマンナナフシ *Ommatopseudes harmani* ／ボルネオ

ネオプロマクスナナフシの一種 *Neopromachus* sp. の雌／パプアニューギニア

●不思議の虫ナナフシ

ネオプロマクスナナフシの一種の雄／パプアニューギニア

マダガスカルコケトゲナナフシ *Antongilia laciniata* の雌の若虫／マダガスカル

ヒストリックスナナフシ *Parectatosoma hystrix* の雄
／マダガスカル

若木か？枯れ枝か？

　マレー半島に棲むブレウィペスカレエダ
ナナフシ *Lonchodes brevipes* は枯れ枝に擬
態していると言われるナナフシである。

　トゲトゲしたナナフシがいるいっぽうで、
ツルツルしたナナフシがいる。緑色の体色
をしたナナフシなら生木にでも擬態してい
るというのだろうか。その伝で言うと茶色
い体色をしたナナフシは枯れ枝に擬態し
ているということになる。

　やるときは徹底的に極端な体つきにな
るナナフシたちだが、その反面、人間の眼
から見ても綺麗な体色をしたナナフシも存
在し、その説明は簡単にはできそうにない。

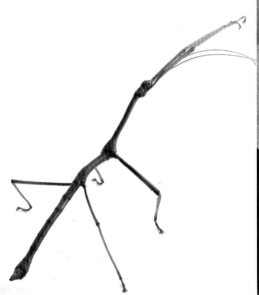

白バックで撮影されると正体がバレてしまう。

ブレウィペスカレエダナナフシ。枯れ枝は緑の葉の上でも違和感がない／マレーシア

地味なようだが、シックな色合い／マレーシア

美しいナナフシ

人は美しいもの、また珍奇なものに魅了される。ずいぶんまえに昆虫標本を集める人（虫屋と自称する愛好家）から初めて「大型美麗種」という言葉を聞いた。人気のある標本の1ジャンルとして定着している言葉だという。環境省は昆虫の普通種による観察の手引として代表種20種を掲げている（2021）。その解説でもアカスジキンカメムシの紹介として「大型美麗種」という表現を使っている。やはり目立って美しいものは人気があるのだろう。

蝶や甲虫は乾燥させれば標本になり保存ができる。だからたくさん集めてその微妙な違いを楽しむ（いや研究する）ことができる。しかし体の柔らかい昆虫は標本にしにくい。たとえばナナフシである。生きているときでも自切して脚が取れやすいのに、乾かした標本の脚はちょっと触っただけでも取れてしまう。また綺麗な色を保存することも難しい。緑色のナナフシも茶色になってしまう。まして行動が面白い昆虫は、死んだ標本ではその魅力を楽しむことはできない。実際には蝶や甲虫だって生きているときの方が色も姿も美しい。

本書の写真を撮影された海野和男さんは、擬態や飛翔など昆虫の生きた姿を記録し続けている。昆虫採集よりも昆虫撮影を普及させるのが願いだ。

フィルムトビナナフシ *Orthonecroscia film* の雄／マレーシア

フィルムトビナナフシ／マレーシア

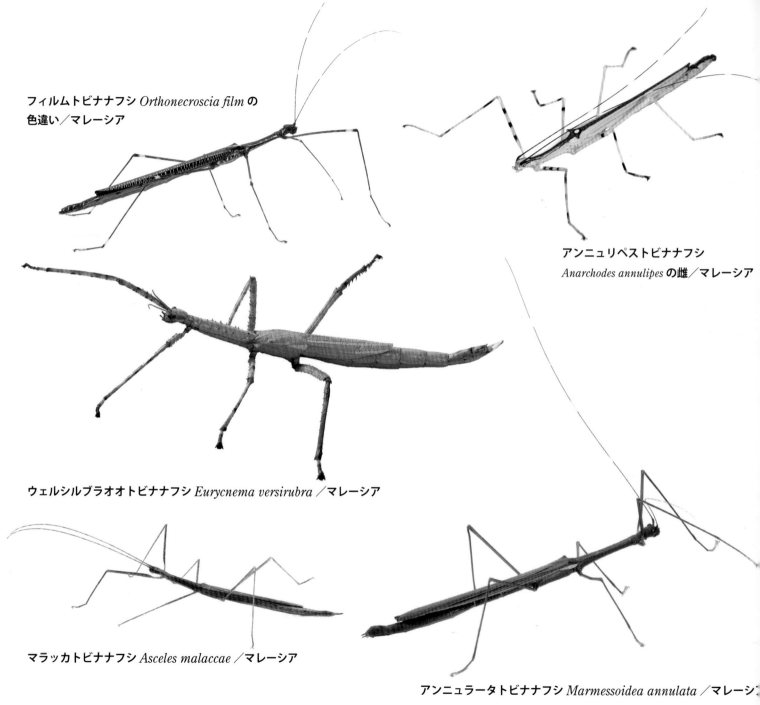

フィルムトビナナフシ *Orthonecroscia film* の色違い／マレーシア

アンニュリペストビナナフシ
Anarchodes annulipes の雌／マレーシア

ウェルシルブラオオトビナナフシ *Eurycnema versirubra* ／マレーシア

マラッカトビナナフシ *Asceles malaccae* ／マレーシア

アンニュラータトビナナフシ *Marmessoidea annulata* ／マレーシ

ウェルシルブラオオトビナナフシ *Eurycnema versirubra*／マレーシア

ルベスケンストビナナフシ *Marmessoidea rubescens* ／ボルネオ

フスコアンニュラータトビナナフシ *Orthonecroscia fuscoannulata* ／ボルネオ

ナナフシのコラム

コノハムシはナナフシの親戚

端が少し枯れたように茶色になったり、虫食い穴が開いたような模様があったりと木の葉そっくりの姿をしたのがマレーシアなど東南アジアに分布するコノハムシの仲間だ。生き物の擬態(ぎたい)の話題になると必ず登場する有名昆虫である。

雌の後翅(こうし)は木の葉に似せて背中の上に広がり、その下に隠された腹部背面は白くなっている。ここで翅(はね)を透過した光を反射させ、翅の下に腹部の陰が出ないようにしている。葉に擬態するために光まで利用しているのだ！ このようにコノハムシの雌は、後翅を葉に似せるために利用しているので、広げたり、飛ぶために使うことはできない。

雄は雌ほど上手に木の葉に「化けて」いない。細身の体つきで翅が発達して飛ぶことができる。コノハムシは、もっぱらスマートな雄が飛びまわって雌を探し、交尾を行っているのである。

木の葉に止まるオオコノハムシ *Phyllum giganteum*／マレーシア

飛翔するビオクラツムコノハムシ *Phyllim bioculatum* の雄(ひしょう)／マレーシア

コノハムシの仲間は103種が知られている。これらはナナフシ目(もく)に含まれ、ナナフシに近い（近縁な）仲間である。いっぽうナナフシの仲間の中でも、枝というよりは、葉に似た姿をしている仲間も知られる。ナナフシにしてもコノハムシにしても、その祖先がどのような自然選択を受けて、このような姿に進化してきたのか興味深い。

ビオクラツムコノハムシの交尾。

不思議の虫ナナフシ
第6章◉ヘンな虫を飼うよろこび

日本の銘昆虫ナナフシモドキ／日本

匂わない鳴かない

その生き物の暮らしや一生を知りたいと思うのなら飼育してみることも一案である。ナナフシは自然の中で忍者のように隠れて生活しているためなかなか姿を現さない。身近な自然でナナフシと出会えたら、飼うことも考えてみてほしい。飼育下のナナフシは、実に色々な行動を見せてくれる。

ナナフシの飼育は植物栽培に少し似ている。食べ物になる植物が「元気」に茂っていることが大切だからだ。つまり切り花を維持することに等しい。そしてナナフシが脱走しないように植物ごと飼育ケースに収める。あとは、植物への水やり（容器の水替え）、そして植物全体への霧吹きをすることだ。ナナフシは植物を食べているわ

5面が金網の飼育ケージ（撮影・細島雅代）。

餌の植物を入れる容器。植物の姿を整えるのに2本の竹ひごと洗濯バサミを利用する。

りに、よく水を飲む。植物全体に霧吹きすることで、この水滴を飲む。水は水道水をそのまま使うより1日陽に晒して塩素を飛ばしたものがよい。水道水をそのまま使っているとガラス面などが白くなってくる。

ナナフシを飼うことでいちばん気をつけたいことは、脱走である。外国の種の飼育は禁止されているので論外だが、国内の種でも本来の生息地以外に脱走されるのは自然のためによくない。また、ナナフシ

を上手に飼育していると、どんどん卵が得られる。飼育できる数だけの卵を確保し、あとは可哀想だが処分（熱湯などで殺す）しないと、飼いきれないナナフシを抱えて飼育崩壊を起こす。成虫を殺すのは忍びないので卵のうちに手を打っておこう。飼育にはこのような残酷な一面もある。しかし、匂わない、鳴かないナナフシはペット・インセクトとして世界中で200種あまりが飼育されている。

ナナフシを探す

本州以北でナナフシを探すのなら4月以降、卵から孵化したての幼虫がみられる時期がよいだろう。サクラやカシなどの若葉を探すとよい。採集するときは、小さな飼育ケースなどに手や筆を使って追い込むようにする。上から植物ごと優しく叩いて落とし込むようにしてもよい。基本的にナナフシには直接触らない。飼育して大きくなっても、指や筆で突いてナナフシを移動させる。ナナフシは前脚を触覚のように使って探りながら進行方向を決めていくので、その塩梅に合わせて移動させる。無理に摑むと脚を自切することがある。また蓋などを閉めるときに、ナナフシの体や脚を挟まない注意も必要だ。

まず身近な自然でナナフシを採集する。そして食物となる植物を確認する。脱走させたり、増えすぎたりしないようにする。こ

高さのあるプラ製の水槽も使いやすい。

ガラス製のクワガタ用の飼育容器でナナフシ飼育。

れがナナフシ飼育の基本だ。

飼育容器はナナフシの成長段階によって変える。小さい頃は菓子やコーヒーのプラカップに穴を開け、下にキッチンペーパーを敷いたものを使う。植物は切り口をペーパーでくるみ銀紙で覆う（112頁左上）。これを水にひたして給水させたものを容器に入れる。下に敷いたペーパーに糞が落ちていればナナフシは順調に餌を食べた証拠、まず一安心だ。1日1回の霧吹き

も忘れずに。ナナフシは5〜6回、脱皮をして成長する。体が長いので飼育容器は、体長の3倍以上の高さがほしい。食物の植物は上が常に飼育ケースの天井についているようにする。これは天井に張りつくことが好きなナナフシが餌に届かず、餓死しないようにするためだ。あまりたくさんの個体を飼育していると脱皮中の個体に別の個体が触ったりして脱皮不全を起こすので注意する。理想は1匹飼いである。

ナナフシリウム

　これまで述べたようにナナフシの飼育容器は通気性があり、脱走されなければ何でもよい。いちばん簡単なのは飼育ケース（いわゆるプラケ）を縦に置いて使うことだ（111頁左下）。また両生類爬虫類用の前面に扉があるテラリウム用の飼育容器も使いやすい。そこまで大げさなものでなくても、ペットボトルと竹ひご（アクリル棒）、木の玉、鉢（平3.5号）、木製の洗濯バサミ、ビニールパイプで簡単な「ナナフシリウム」が手作りできる。ペットボトルの下を切り、上部と下部の周囲に空気穴を開ける。写真の右のように竹ひごに木の輪と球を接着し、鉢の穴に通して、加工したペットボトルを被せればよい。竹ひごの上部に濡らしたペーパーで根本をくるんだ植物をぶら下げれば完成。上部の玉を外してスポイトで植物に水を与えれば植物が枯れるまで

ペットボトルを利用したナナフシリウム。移動は洗濯バサミの上を摘む。球を外せば掃除が可能。

さまざまな容器に通気穴を開けて用いる。

餌の交換は不要だ。下に溜まった糞は新聞紙などの上で、筆を使って掃き出すと管理が楽だ。木製の洗濯バサミは色々と便利である。108頁で紹介したように、ペットボトルに2本の竹ひごを固定し、植物を入れて洗濯バサミで姿を整える。

　成長段階に応じて容器を変えるとよい。適度な高さ、掃除のしやすさがポイントだ。ナナフシの体を挟んでしまったり、逃げ出されないことも大切である。

　霧吹きと筆は、ナナフシ飼育に欠かせない道具である。掃除や給餌のためにはピンセットと植木ばさみが便利。ナナフシの卵は柔らかいので、筆を使って移動させる。手やピンセットは使ってはいけない。

　飼育容器の下には白いキッチンペーパーを敷く。プラスチックのカップやプリンカップに穴を開けるのは専用の穴あけ針（左写真・左側）があると楽に工作でき、容器作りが楽しくなる。

毎日の世話

　毎日の世話は食物の植物が元気な状態であるように維持すること。下に敷いたキッチンペーパーに糞（ふんたま）が溜まっていれば、食事が健全に行われている証拠になる。糞がないようなら植物の種類を変えてみよう。糞は乾いているので霧吹きする前に掃除をすれば簡単だ。掃除中は植物ごとナナフシを別の容器に入れて脱走されないよう気をつける。ナナフシはじっとしているようで、見ていないときは、けっこう素早く動く。ナナフシ飼育に油断は大敵である。そのためにも、飼育容器には何匹のナナフシが入っているのかラベルを貼っておく。常に数を数えてナナフシの脱走を防ごう。ラベルには産地や孵化（ふか）した年月なども書いておくと管理がしやすい。

　なお南西諸島のナナフシを気温が15度以下になる地域で飼育するためには、

いちばん簡単な「プラケ」を倒した飼い方。

若齢幼虫のうちはシンプルな飼い方で。

世話は毎日する。

飼育容器の自作もナナフシ飼育の楽しみ。

ダンボールに色を塗りネットと合わせる。

色気はないが飼育は楽。冬季はポリ袋で覆う。

その低温の期間は加温が必要になる。温室に入れるか、容器の　面にプレート・ヒーターを貼りつけるなどの工夫が必要だ。加温しているあいだは、特に乾燥しが

ちなので、毎日の霧吹きを忘れないようにしたい。ダンボールと洗濯物入れで作った容器なら、上からすっぽりポリ袋をかけて保温ヒーターを入れる方法もある。

卵の管理と孵化

　ナナフシを飼っていれば、いずれ産卵が始まる。卵は糞に混じってばら撒かれるように産み出されるので、毎日の掃除のときにより分けておく。見た目は植物の種子のようで硬そうだが、意外と柔らかいので、ピンセットで摘むとつぶしてしまう。筆と紙片（付箋の裏など）を使って丁寧に集める。卵は気がつかないうちに孵化した幼虫が脱走しないように小皿に入れたうえで、プリンカップなどで密閉しておく（空気穴は針で１つ程度でかまわない）。

　四季のある地域に棲む種なら春に、南西諸島などの暖地に棲む種なら、数か月後に卵は孵る。飼育容器の蓋の裏などに幼虫が「ナナフシのポーズ」で止まっていたら、それ以降毎日ぽつりぽつりと孵化してくる。自分が管理できるだけの頭数を確保し、間違ってもそのまま野外に放出してはいけない。

　孵化した幼虫はまず水を飲みたがる。幼虫の周囲に霧を吹くと、一所懸命に水を飲む姿を見せてくれるだろう。このとき卵からうまく脱出できず、殻を脚にくっつけたまま幼虫が出てくることがある。そのようなときは、卵の殻にスポイトで一滴水を落とし、キッチンペーパーなどの上に置いてやると、中がふやけて卵の殻が取れる。少々強引だが、卵の殻をピンセットで

潰してもよい。万が一脚が取れてしまっても、若い齢の幼虫なら脚は再生してもとどおりになる。

　孵化したての幼虫は、筆などを使って小さな飼育容器に収容する。水を飲ませ、植物の葉の元を濡れたペーパーでくるみ銀紙で包んだ餌を入れて小さな幼虫の成長を間近に楽しんでほしい。

若い幼虫には柔らかい葉を与える。

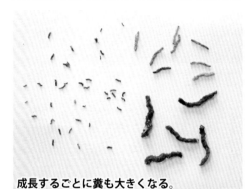
成長するごとに糞も大きくなる。

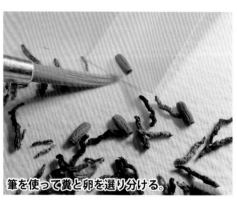
筆を使って糞と卵を選り分ける。

この状態でプリンカップなどに入れて保存。

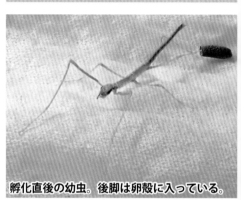
孵化直後の幼虫。後脚は卵殻に入っている。

孵化直後の幼虫には霧吹きで水を与える。

あるあるトラブル

　最後にいくつかのtips（ティプス）を書いておく。飼育している個体数はあらかじめ数えておくこと。ナナフシは脱走の名人のうえ、動き出すと意外と早い。逃げるとじっと擬態（ぎたい）して見つけるのが大変だ。ナナフシには上へ登ろうとする性質がある。一匹足りないと大騒ぎしていたら、自分の頭の上でナナフシが両手を広げて万歳していたなんてこともある。

　ナナフシの体を物で挟（はさ）まない。餌（えさ）の植物で押さえられていないか。小さな幼虫の頃は大きな水滴だと、その表面張力に囚われて動けなくなることもある。網や枝に脚を挟むと動けなくなることがある（自切（じせつ）することもある）。中途半端な目地（隙間）のケースは、ときに脚をとられる危険な罠（わな）となることがある。

　脱皮中にはケースを動かさない。過密

日光浴もときどきさせてやる。

に飼育すると、脱皮中の個体にほかの個体が触り、脱落することがある。脱皮中に足場から落ちると、自重で皮を脱ぐことができなくなり、脱皮不全を起こす。

　トラブルではないが、夜行性と言われるナナフシでも若齢（じゃくれい）の頃は日向ぼっこが好きなようで、葉の上で休んでいることがある。

　ナナフシ飼育の極意は、もし身近でナナフシモドキを見つけることができたら、これを数匹（できれば1匹だけ）飼うことだろ

楽しいナナフシ飼育。

う。本種は単為生殖（たんいせいしょく）なので秋になって成虫が死んでしまっても卵が確保できる。秋から冬は飼育を休み、春の孵化（ふか）を待つ。そして春から夏の成長を楽しんで、また卵を集めるというサイクルだ。秋から冬にかけて飼育に休みがあるのも嬉（うれ）しいし、春になってまた新鮮な気持ちで飼育が始まるのも生物飼育の原動力として好ましい。植物の栽培のようなカレンダーで、このヘンな虫とつき合えるのはとても楽しいことだ。

その7

なな
7

ナナフシのコラム
ナナフシの本と世界の愛好団体

phasmid studygroup　phasmiden.de　phasmida.speciesfile

　日本のナナフシ本の筆頭は『ナナフシのすべて』岡田正哉（トンボ出版／1999）である。日本産18種を掲載整理している。ナナフシ分類に欠かせない卵の形状や、孵化数の推移など飼育観察例が紹介されている。さらにトガリナナフシ属（Entoria）とエダナナフシ属（Phraortes）の整理、エダナナフシについては雄の腿節に斑がある型〔フアリ型〕と、ない型〔フナシ型〕について言及。南西諸島のフィールドワークによるそれぞれの種の考察は貴重な資料である。

　『ナナフシ』監修／高家博成・写真／海野和男・文／大木邦彦（ポプラ社／2005）は、エダナナフシの生態を中心にナナフシ全般の紹介をしている。

　『ナナフシ』稲田務（月刊かがくのとも／福音館／2021）は、著者が飼育しながら絵を描いた科学絵本。ナナフシがヒヨドリに捕食されても、排泄された糞に残された卵から幼虫が孵化する話も描写される。本書は、独特の世界観で自然を描写していた稲田さんの遺作となった。

　『うまれたよ！　ナナフシ』安田守（岩崎書店／2019）は、ナナフシモドキの一生を掘り下げた写真絵本。ゆらゆら歩き、孵化の瞬間、産卵の瞬間など撮影のことを考えると気が遠くなる写真が多い。本書では「にほんには、やく30しゅるいのナナフシがいます」と解説している。

　洋書に目を向けると数多くの本が出版され、ナナフシの人気の高さを示している。一般書としてまず紹介したいのは『Stic and Leaf Insects』Paul D. BROCK（t.f.h./2000）だ。書名のようにナナフシとコノハムシの飼育書で、全8章を読みすすめるうちにナナフシの生態とその飼育法が理解できる。t.f.h. という出版社は熱帯魚飼育の雑誌・図鑑を発行している版元で、ナナフシという虫もその延長線上にそつなく紹介されている。著者は現在世界のナナフシ研究をリードする大英博物館の昆虫学者ブロック博士だ。ブロック博士には『STIC AND LEAE-INSECT OF THE WORLD』（NAP/2022）という斯界の決定版ともいうべき著書もある。本書でもおおいに参考にさせてもらった（ちなみに表紙は海野和男さんのセンストビナナフシの写真）。

　インターネット上には膨大なナナフシの情報が蓄積されている。ブロック博士らの運営するファスミド・スタディ・グループなどを通じて世界のナナフシ情報に触れてみてほしい（一部敬称略）。

おわりに　ナナフシだけのヘンな本

伊地知英信

ナナフシの名は、誰でも聞いたことはあるはず。反面、自然の中で見たことがある人はあまりいないとおもう。それでもナナフシは古くから知られてきた。

ここに紹介する『千蟲譜』は、江戸時代の医師・本草学者の栗本丹州（1756〜1834）が編纂した日本初の虫の図鑑である。ナナフシの頁では「ナヽフシ　タケノフシ　ナナフシトカゲ　大毒蟲ナリ」と解説され、長い前脚を「瞽者（目の見えない人）の杖」のように使って探りながらゆっくりと歩く行動や、体色にも赭黒、青、褐色の３色があることにも触れている。青とは緑のことだ。行動も形態も、その観察はなかなか正確である。しかし毒については誤解がある。クモの仲間と勘違いされたため有毒とされたのだろうか。『本草綱目』あたりに起源があるかと調べてみたがわからなかった。トビナナフシ類などが噴出する液体は生理活性をもっているはずで、よく調べた

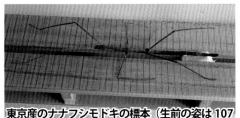
東京産のナナフシモドキの標本（生前の姿は107頁）。生きている時と色が変わってしまう。

『千蟲譜』国立公門書館デジタルアーカイブ蔵。

ら薬などの発見につながるかもしれない。

ナナフシは目立たない存在だが世界中で繁栄している。それを海野和男さんは長い年月をかけて撮影してこられた。本書に掲載されたナナフシは先祖伝来の忍法で隠れているのに海野さんに見つかって写真に撮られた。命は取られていないけれどナナフシとしては無念ではないか。

飼育について少し補足すると、植物が枯れてしまう冬の時期に餌に海外ではレモンリーフが使われるようだが、日本ではマテバシイの葉が良い。いずれカイコのように人工飼料が開発されれば便利だ。

本書の編集に誘ってくださった海野和男さんと草思社の木谷東男さん、原稿を確認してくださった、さくらいみちこさんに感謝いたします。日本の、世界のナナフシの何がヘンなのか、その魅力である「七不思議」を本書で楽しんでいただけたら嬉しいです。

主要参考文献（114頁以外のもの）
新潟県のナナフシ目昆虫（2001年、新潟青稜大学紀要、長島義介）。台湾農業試験場所蔵のアリ標本について　いわゆる「素木標本」に関して（2014年、埼玉動物研通信、寺山守）。トゲナナフシバチ Calosega kamiteta の新産地（2014年、つねきばち第25号・寺山守、須田博久）。日本琉球由来 Phraortes の2つの新種 ナナフシ目 Phasmatidae（2015年、Entomological Science・佐藤太郎）。ゲノム情報で昆虫の高次系統関係と分岐年代を解明（2014年、筑波大学・北海道大学、横須賀市自然・人文博物館、愛媛大学）。北海道におけるシラキトビナナフシとヤスマトビナナフシの分布について（2017年、北海道博物館研究紀要、堀繁久、栗林一寿）。有翅昆虫類の系統樹の構築（身近なバッタ、カマキリなどからなる多新翅類の祖先型を復元（2019年、筑波大学紀要、町田龍一郎、内舩俊樹、清水将太、真下雄太、藤田麻里）。ナナフシ卵寄生蜂の分類・系統・生活史の解明（2019年、三田敏治、九州大学）。琉球列島におけるナナフシ方言の多様性、盛口満（2021年、沖縄大学人文学部紀要24号）。あなたはなぜ千葉・外房にいるはずがないナナフシ、再び見つかる（2022年、朝日新聞デジタル）。コブナナフシ（ナナフシ目フトナナフシ科）の沖縄諸島伊計島からの初記録（2023年、琉球大学学術リポジトソ、知智、仲是ほか）など。

●索引 （ナナフシ目の和名学名対照）緑字は日本産種

●日本産ナナフシ学名リスト （和名・別名ほか・学名・シノニム対照）

ナナフシ目は2亜目（Timematidae〈1科1属21種〉とEuphasmatodae）に大別され、後者Euphasmatodaeはさらに以下の12科に細分される（和名は仮称。分類はBROCK 2022に従った）。コノハムシ科 Phylliidae アジアからオーストラリアに103種。

アスキファスマ科 Aschiphasmatidae 東南アジアに135種。

ダマスシッポイ科 Damasippoididae マダガスカルに6種。

プリソポッド科 Prisopodidae 中央・南アメリカ、東南アジアに46種。

アニサカント科 Anisacanthidae マダガスカルに33種。バキリ科 Bacillidae ヨーロッパ、アフリカに245種。

フトナナフシ科 Heteropterygidae 東南アジアに135種（日本産ではコブナナ

和名	別名ほか	学名	現在無効になっている学名＆和名等
ナナフシモドキ		*Ramulus micado*（Rehn, 1904）	*Baculum irregulariterdentatum* *R. irregulariterdentatus*
オキナワトガリナナフシ	アマミナナフシ〔ケラマ型〕	*Entoria nuda* Brunne,1907	オキナワナナフシ *E.okinawaensis*（Shiraki, 1935） アマミナナフシは同種
オオナナフシ		*Entoria magna* Shiraki , 1911	標本のみ知られる不明種
ヤマトナナフシ		*Entoria japonica* Shiraki , 1911	標本のみ知られる不明種
アマミトガリナナフシ	アマミナナフシ〔サツミ型〕	*Entoria miyakoensis* Shiraki,1935	アマミナナフシ *Entoria.amamensis*（Yasumatsu,1965） ナゴナナフシ *E.nagoensis*（Shiraki, 1935）
ヤエヤマトガリナナフシ	アマミナナフシ〔ヤエヤマ型〕	*Entoria ishigakiensis* Shiraki , 1935	
ハチジョウトガリナナフシ		*Entoria* sp.1 Shiraki , 1935 未記載種	
ヨナグニトガリナナフシ	アマミナナフシ〔ドナン型〕	*Entoria* sp.2 Shiraki , 1935 未記載種	
ダイトウトガリナナフシ	アマミナナフシ〔ダイトウ型〕	*Entoria* sp.3 Shiraki , 1935 未記載種	
不明種（和名なし）		*Rhamphophasma japanicum* Brunner von Wattenwyl, 1907	*R. japanicum*（Shiraki , 1935） *R. japonicum*（Otte & Brock , 2005）
ツダナナフシ		*Megacrania tsudai* Shiraki,1933	ヤエヤマツダナナフシ *Megacrania tsudai adan* Yamasaki,1991
トゲナナフシ		*Neohirasea japonica*（de Haan,1842）	*Neohirasea lugens*（Brunner von Wattenwyl,1907） *N. japonica*（Shiraki,1932）トゲナナフシモドキは同種

採用の学名は『STIC AND LEAE-INSECT OF THE WORLD』（2022）に従った。ほか『ナナフシのすべて』（岡田正哉 1999）、『ナナフシの森』https://micadina.web.fc2.com 等を参考にした。